I Narratori / Feltrinelli

BENEDETTA CIBRARIO

ROSSOVERMIGLIO

Feltrinelli

© Giangiacomo Feltrinelli Editore Milano
Prima edizione ne "I Narratori" settembre 2007
Seconda edizione settembre 2008

ISBN 978-88-07-01734-6

I personaggi che appaiono in questo romanzo sono di pura fantasia. Ogni riferimento ad avvenimenti o a persone reali è puramente casuale.

A mio padre

E lui c'era, non visto – lo seppi poi –, era nell'ombra della cima d'un platano, al freddo, e vedeva le finestre piene di luce, le note stanze apparecchiate a festa, la gente imparruccata che ballava. Quali pensieri gli attraversavano la mente? Rimpiangeva almeno un poco la nostra vita? Pensava a quanto breve era quel passo che lo separava dal ritorno nel nostro mondo, quanto breve e quanto facile? Non so cosa pensasse, cosa volesse, lì. So soltanto che rimase per tutto il tempo della festa, e anche oltre, finché a uno a uno i candelieri non si spensero e non restò più una finestra illuminata.

ITALO CALVINO, *Il barone rampante*

"Rassicuratevi, o Re e Regina, la vostra figlia non morirà."

CHARLES PERRAULT, *La bella addormentata nel bosco*

1.

1928

I.

Oggi so che c'è bellezza e bellezza; e questo vale anche per i luoghi, non soltanto per le persone. Qui non ci sono deserti ricamati dal vento o montagne affacciate sui laghi, golfi che abbracciano il mare e isole sul filo dell'orizzonte, solo una quieta infilata di vigne ordinate, di conche e salite; e c'è chi sente una musica mischiata all'odore del bosco dopo la pioggia. Chi la lavora, la terra, fa finta di non vederla questa bellezza: gli pare un vezzo da pigri fermarsi a guardare la valle quando l'ombra l'allaga o il sole filtra nel bosco e disegna un sentiero. Non è disprezzo o disattenzione, soltanto abitudine. La terra è la terra, il bosco è il bosco e la vigna è la vigna. E nessuno perde tempo a ricordare quando è spuntata – a opera non si sa di chi – la torre di San Biagio, tutta voltata a settentrione, col muschio che ne rosicchia le pietre. Certi la chiamano Torre della Vedetta, benché da lassù in cima non si veda quasi nulla per via di una persistente foschia. In cuor mio, ho sempre pensato si dovesse chiamarla piuttosto Torre della Vendetta. Una vendetta gentile, s'intende; forse nemmeno il termine "vendetta" è giusto, bisognerebbe dire ripicca o rivalsa, e non solo la mia personale ma quella di tutti coloro che in questo borgo ci sono nati e morti negli anni, e che hanno strappato al bosco un metro dopo l'altro di terreno, che hanno scavato con la vanga disassando zolla dietro zolla, cercando di non guardare quell'orizzonte di boschi scoscesi, senza fine come le onde del mare.

Di ritorno da una gita a Siena o a San Gimignano, quando dalle curve morbide della Chiantigiana s'imbocca la discesa verso San Biagio, capita di pensare che morti di fame dovessero essere quei primi disperati che fondarono il borgo; a poche decine di chilometri, la natura ha apparecchiato per gli occhi un panorama di grazie da togliere il fiato. Qui invece, certe mattine d'inverno e d'autunno si ha l'impressione che il sole non scaldi o che la pioggia non sappia più bagnare ma scivoli solo inutile, scavando reticoli di solchi leggeri nel terreno argilloso. Una sistemazione insolita per un paese medioevale – e chiamarlo paese è già molto –, tanto più che, quando si scollina, tutt'attorno si vede un bel panorama di vigne e oliveti. Le leggende sulla sua origine s'intrecciano, confuse come quando non c'è nulla di interessante da raccontare: che nacque come romitorio, o che nel Seicento vi si tenevano sabba – e quelle nebbie e foschie invernali che danno al paesaggio un tono luciferino avvalorerebbero l'attendibilità di quest'ipotesi se poi, preannunciate da certe schiarite di fine marzo, non arrivassero le gloriose giornate di primavera, con luci, colori, profumi e suoni che non sanno certo di cupa stregoneria.

Si dice anche che questo gruppetto di case, raccolte attorno alla chiesa e alla torre, attraverso passaggi ereditari divennero parte del patrimonio di una ricca abbazia del Nord, a cui i fittavoli dovevano pagare onerosissime tasse che a poco a poco li affamarono e li resero tutti briganti; e che il borgo finì abbandonato e in malora finché qualcuno dei Chigi non se ne impossessò per annetterlo alle proprie campagne e ci fece una casa padronale, accorpando la torre e tirando giù muri, bucando cantine e rifacendo tetti. Dallo sterrato, oltrepassato il cancello, chi arriva quaggiù si stranisce: una corte di terra battuta, chiusa da mura, sui quattro lati come una fortezza, ma piena di buchi e di volte, di scale che salgono e finestre che si direbbero aperte a casaccio. La casa da sola non è nulla; ai tempi dei monaci viaggiava già con la sua terra, duecento ettari di bosco fitto buono solo per la caccia. Chigi disboscò, vendette legnami e bruciò dove la macchia era più folta, conquistando balze per farne terra da semina; comprò poi altra terra e piantò olivi, e tutt'intorno, sui confini, un filare di cipressi, perché tutti riconoscessero, anche da lontano, che quella era roba sua. E fu lui, dicono, a battezzarla così. La Bandita. Da allora, di famiglia in famiglia, la tenuta è scivolata sui rami della Storia come una foglia autunnale. È questa una verità che s'impara meglio con gli anni: che le cose, come gli uomini, finiscono sempre con l'essere trasportate dal caso. Non ci sono nata, non mi ci hanno portata. La vita avrebbe potuto condurmi altrove. E invece è qui che mi sono fermata.

II.

Ogni volta che lo spedizioniere viene a caricare le casse di vino, mi torna in mente com'è cominciata questa storia. Non so più quanto tempo sia passato. Dino, il fattore, sta lì a controllare i cartoni battendo il piede nervoso e dice che è un tic, ma io so che è per altro. Gli dispiace che parta, tutto qui. Da qualche anno ci arrivano premi e riconoscimenti, ci dicono che il Lunediante è un gran rosso, che fa parlare di sé, che il Rossovermiglio è un incanto, anche nel nome. La fama delle nostre etichette è arrivata lontano. I migliori ristoranti d'Europa e degli Stati Uniti comprano a caro prezzo poche casse di Rossovermiglio. I collezionisti ci corteggiano mesi per mezza dozzina di bottiglie. Otteniamo recensioni entusiastiche, siamo adulati dai migliori enologi e dai critici più severi. Io stessa faccio fatica a comprendere le ragioni del nostro successo, siamo un'azienda a conduzione semifamiliare con pochi operai che si è fatta strada anno dopo anno, in sordina, con poche risorse. Oggi guadagniamo bene. Il valore della tenuta sale una stagione dopo l'altra e sempre più spesso riceviamo offerte di acquisto che ci lusingano per la loro generosità. Ma io sono vecchia e vivo qui da una vita, e una vita non si vende. Dino sorride e si stringe nelle spalle. "Il vino vuole il sole e il caldo da uva, il buio e il fresco da vino, e qui alla Bandita gli diamo anche il mistero." Ha ragione. Non facciamo visitare le nostre cantine, non vendiamo direttamente al pubblico. Quando arriva qualche turista curioso, Dino lo liquida senza tante cerimonie, e il coro dei cani che abbaiano, irritati da presenze estranee, fa il resto. Che vadano a visitare le grandi tenute del Senese che sono a un tiro di schioppo, Campo alle Cacce, San Giusto e San Sisto, con i loro viali di cipressi e le case enormi di pietra chiara, dove tutta la vita ruotava – e ruota ancora, credo – attorno a due temi soli, se l'anno che viene sarà buono per il Chianti e per le cacce. Anche lì non è cambiato mai nulla: l'Italia è stata fatta e rifatta, dopo i granduchi abbiamo avuto i Savoia e la Repubblica, e in mezzo le guerre e la fame, ma la caccia e il vino qui non sono cose che si dimenticano. È una lezione che porto incisa nel cuore.

III.

Negli ultimi anni, quando oramai ricordava assai poco perfino di quanto andava facendo durante il giorno, mia madre girava per le stanze lanciando piccole grida di gioia e sorpresa, come una visitatrice in casa d'altri. Non riconosceva quasi nulla, e del resto aveva dimenticato due guerre e mio fratello Enrico soffiato in aria, a ventiquattro anni, da un colpo di fucile esploso per sbaglio.

Allora non parlava che inglese, con quella perfezione di accento che hanno soltanto le figlie di Lord e le grandi attrici shakespeariane del West End. Me la ricordo anche così, figurina ingobbita dentro uno scialle ricamato, che dal cesto della frutta prende sempre la mela guasta, perché è lei la prima a essere servita dal cameriere ed è dunque a lei che spetta il piccolo sacrificio.

Eravamo stati immensamente ricchi: un bisavolo era emigrato in Sudamerica, dove aveva fatto fortuna con le miniere d'argento o con lo sterco dei gabbiani – su questo punto le voci familiari discordavano alquanto; di ritorno a Torino si era costruito una bella casa in collina, in mezzo a un bosco di castagni, che guardava giù verso il fiume. Aveva ordinato a Parigi le prime carte da parati stampate a macchina: ovunque, con minime variazioni, aveva voluto la stessa scena, paesaggi immaginari delle Indie Occidentali e Orientali.

Le palme dipinte, gli indigeni color terracotta e il fogliame rigoglioso, verde cupo di quelle foreste, i cieli turchini, servivano, credo, a spegnere qualche nostalgia. E poi ovunque pesanti tendaggi ricamati a motivi vivaci, intessuti di pappagalli e fiori carnosi, e altri uccelli disposti in un volo disordinato e fantastico. Le cortine erano sempre tirate, e in tutte le stanze si respirava un'aria pesante di chiuso, mista all'odore di grandi mazzi di foglie di eucalipto.

Si dice che il bisnonno avesse avuto qualche difficoltà a sposare le figlie, che avevano ereditato dalla madre peruviana un incarnato di rame dorato e capelli corvini; la città non gli perdonava non tanto di aver fatto fortuna, quanto di essere rientrato in patria a esibirla; e lui quella fortuna la esibiva nella maniera peggiore, agli occhi severi dell'aristocrazia cittadina, con un gusto eccentrico e dispendioso per l'esotismo, la buona tavola e le carte da gioco.

Comunque riuscì nell'intento di sposare le due figlie a Torino, aiutato, certo, dal suo danaro; e forse, ma è pura congettura, anche dal fatto che le due creole dovevano spiccare tra le guance pallide e gli occhi chiari delle loro coetanee.

Una delle due creole è Lupe, mia nonna.

Il suo nome per intero ha un suono musicale e magico, alle mie orecchie infantili, Maria Guadalupe Juana Isabel. Musicale quanto il cognome peruviano della madre, Barrinechea de Winder, e magico quanto l'enigmatica figura – lei, ritratta di tre quarti – che arreda il salotto dei miei genitori: una donna dall'espressione severa, vestita di scuro e adorna solo di un medaglione d'oro e di un nastro di velluto al collo; dalle maniche, tagliate sotto il gomito, sporgono sbuffi di merletto bianco, a trama fitta; in una mano regge un libro; sull'altro braccio, invece, ha un pappagallo verde e rosso, con qualche piuma gialla sulla testa e un becco affilato e ricurvo, quasi una grossa virgola, e un occhio vitreo e ostile; almeno così sembra a me bambina, che non capisco perché il pittore abbia voluto ritrarre mia nonna con quella bestia spaventevole placidamente appollaiata sul braccio.

Non so nulla, allora, del Sudamerica, delle foreste piene di uccelli multicolori, delle ricchezze che diventano leggendarie fortune – una volta attraversato l'oceano – dei Barrinechea de Winder, delle loro case piene di cortili, delle chiese scure e freschissime dove ci si ripara dal sole, né del mio bisnonno che ne ha sposato l'erede. E l'ha convinta, dopo una vita intera trascorsa laggiù, a trasferirsi con le figlie, Lupe e Maria Rosario, nel Vecchio continente – sulle colline di Moncalieri, che pure sono belle, ma le Ande, be', le Ande, restano un rimpianto in fondo al cuore, come una zavorra. Maria Rosario se ne immalinconisce tanto che muore, dicono, di febbre cerebrale che non ha ancora compiuto il venticinquesimo anno; a nulla sono valse le amorevoli cure di un pallido e zelante marito, che ne resta affranto e come stranito per lunghi mesi.

Le apparenze, all'epoca in cui nacqui io e ancora per qualche anno a venire, c'erano tutte: le case, in città e in campagna, traboccanti di mobili e dipinti; gli intendenti che si scappellavano portando libri di conti copiati in bella calligrafia; e i gioielli, il prestigio sociale, le cariche onorifiche. Era tutto lì, magnifico e lucente, ogni cosa al suo posto come a un ballo di gala; eppure, dietro non c'era più nulla, la terra non rendeva e i braccianti non si potevano far morire di fame, più di quanto non li affamassero già gli intendenti; le tasse bisognava pagarle, i palazzi mantenerli. A poco a poco si svendeva, ma il grande malinteso stava sempre lì, a offuscarci lo sguardo: convinti di essere privilegiati – per dono divino? – e convinti che il danaro, poiché c'era sempre stato, sempre sarebbe rimasto.

Non sospettava, mio padre, che un gentiluomo potesse lavorare; né considerava un lavoro i lunghi soggiorni in campagna, da maggio a settembre. Il resto dei suoi obblighi prevedevano che partecipasse alla vita mondana di Torino e Firenze indossando l'uniforme e le medaglie, che giocasse a whist e mantenesse mia madre e i suoi figli come andava fatto. Anche se la visita dell'amministratore che una volta al mese veniva in città e si chiudeva con lui nello studio lo lasciava, di anno in anno, sempre più turbato.

IV.

Quella sera i miei genitori andavano a teatro. C'era sempre un po' di trambusto in casa quando uscivano in tenuta da sera, e in quegli anni per andare a teatro ci si vestiva come per un ballo. Mia madre tirava fuori il boa di struzzo bianco e il suo gioiello abituale, un *collier de chien* in perle di fiume e zaffiri. Mio padre indossava il frac con lo sparato rigido e la bottoniera di platino. Entrambi avevano bisogno di aiuto per vestirsi. Poi, quando anche l'ultimo ricciolo di mia madre era stato arrotolato sul ferro caldo, scendevano in salotto per una coppa di champagne, prima di uscire.

Se riuscivo a sottrarmi alla sorveglianza di Miss Woodruff, la governante, quello era il mio momento prediletto: osservare, nascosta dietro la tenda, le toilette da sera di mia madre, che mi pareva una regina, anzi, mille volte più bella di una regina, perché il suo volto mi era familiare, ne conoscevo i tratti e riuscivo così ad apprezzarne la meravigliosa trasformazione. I gioielli, la cipria, le piume di struzzo mutavano quel viso dolce in una maschera di raffinata eleganza. E io, non vista, godevo in segreto di questo spettacolo, di quei gesti naturali e tranquilli che mi offrivano i miei genitori; ignari della sorpresa che suscitavano in me per quell'essere così a loro agio pur così agghindati, come se quella fosse la loro vera natura riportata infine in superficie.

Quella sera mio padre, dopo aver congedato il cameriere e aver versato personalmente lo champagne a mia madre – gesto insolito che gli valse un: "Come mai? C'è qualcosa che non va, Vittorio?" –, prese a parlare con una voce stanca e autoritaria, come gli accadeva sempre più spesso.

"Mia cara, bisognerebbe ridurre le nostre spese. Abbiamo qualche difficoltà. Quando sei in campagna, per esempio. Hai davvero bisogno di un cuoco, uno chauffeur, una cameriera e due camerieri?"

Mia madre sospirò.

"Ma... non saprei. A chi si potrebbe rinunciare? Ognuno di loro ha un ruolo indispensabile nel funzionamento di una casa. Questo non è spreco, Vittorio. È un modo di vivere... normale."

Mio padre s'alzò in piedi e cominciò a passeggiare su e giù. Ondeggiava sempre un poco. Poi si voltò verso mia madre, e con tutta la dolcezza di cui era capace le disse:

"Elena, magari un cameriere... ne hai due. Forse potresti licenziarne uno, e affidare al più capace anche il lavoro dell'altro".

Lei s'alzò bruscamente.

"Ma come si fa? Tu lo sai, io esco, vado in visita."

"Hai uno chauffeur."

"Non posso certo andare da sola con lo chauffeur, ci mancherebbe, non si è mai visto. Il cameriere viene con me."

"Bene. Un cameriere verrà con te. L'altro possiamo licen-ziarlo."

Mia madre si portò le mani al viso. Un gesto raro, per lei. "Dio mio, non pensavo che la situazione fosse così seria. Perdonami. Non mi ero resa conto... Bisognerà dire, allora, che non riceviamo più carte da visita, non quando io sono in campagna... o fuori con l'automobile."

"Non è necessario... Non ti suggerisco un buen retiro, un isolamento coatto."

"Ma caro, se il cameriere è fuori con me, chi apre la porta?"

"Bene... direi... Ada, la tua cameriera. Non si chiama Ada?"

"Ah no! Questo mai! Questa è una casa di signori, e *non può essere* una donna ad aprire la porta. *Questo* non lo ac-cetterò mai. Mi stupisce che tu abbia potuto pensarlo, mi stu-pisce e mi addolora."

Quanta indignazione riusciva a farci stare, in quei due ver-bi di uso banale e quotidiano. Era il suo modo di troncare una conversazione. Girava appena le spalle, stendeva la ma-no e chiudeva in un guizzo rapido una manciata di merletti e raso e gros-grain. Non ho mai visto nessun'altra raccogliere lo strascico a quel modo.

Aveva ragione lei, in casa nostra non si sprecava mai nul-la. Ma se ad aprire la porta non si poteva mandare un mag-giordomo in frac e cravatta nera, bene, c'era poco da star lì a pensare, la porta non si apriva, no? Così, chi voleva manda-re un messaggio, ringraziare per un invito, poteva bussare per ore e per giorni; e se tenace abbastanza, perché no?, come il principe Monroy di Pandolfina farsi allestire una tenda da campo sotto il porticato d'ingresso, sbocconcellare un pasto frugale – cardi stufati alla crema di tartufo e un poco, soltan-to un poco!, di champagne – in attesa del ritorno della signora contessa.

Non sarei andata a dormire così tranquilla, quella sera, se solo avessi intuito che le preoccupazioni finanziarie di mio padre erano come certe brezze d'agosto, che s'annunciano miti ma poi si portano dietro tempesta.

Quanto a mia madre, non avrebbe senz'altro rinunciato a uno dei suoi camerieri. Era convinta che le bastasse increspare le labbra per piegare il mondo ai suoi desideri, ed era quello che avrebbe fatto.

V.

Pioveva, la sera che mio padre cambiò il corso della mia vita. Ci eravamo appena alzati da tavola, mia madre, mio padre e io, per andare in salotto. Mio fratello Enrico al solito era al Club, come ogni giovedì.

"Ho preparato un piccolo elenco, mia cara," disse mio padre, e mi tese un foglietto di carta azzurra riempito della sua grafia a grandi lettere.

Mia madre sorrise e fece tintinnare il campanello. Si potevano servire il caffè e i cioccolatini.

"Che cos'è, papà, di che si tratta?"

Ero totalmente impreparata. Allora il mio mondo erano i cavalli, non pensavo ad altro. Durante le lunghe serate silenziose passate in casa con i miei genitori, ero persa in mondi miei, fantastici e avventurosi, e fu per questo essere sperduta in luoghi così lontani che la voce di mio padre mi fece trasalire e trattenere il respiro.

"Di che si tratta?"

"Di matrimonio. Mi sono consultato con tua madre e con la Granmammà. Abbiamo tenuto conto delle tue inclinazioni. Ho preparato una lista di nomi. Riflettici su. Hai tutta la notte per pensarci, possiamo riparlarne domani a colazione. Sono cinque ottime persone, adatte alla nostra famiglia. È ora che ti fidanzi. Puoi scegliere chi ti piace di più. Quello che ti è più... quello che... Insomma, il marito che preferisci. Li conosci tutti e non voglio influenzarti. Rispetterò e appoggerò la tua scelta."

Ho ancora nelle orecchie il suono tagliente delle parole di mia nonna, la Granmammà, come la chiamavamo in casa: "Sposarsi per amore, che volgarità!". Un ritornello stanco ripetuto di tanto in tanto a liquidare la vicenda di qualche conoscente, un pronipote venuto in visita con gli occhi lucidi per l'emozione – "chissà se quella ragazza di Piacenza starà bene anche a Torino, ci siamo conosciuti quest'inverno, il padre è un avvocato che *si è fatto da sé*, ma io ne sono innamorato," e la Granmammà freme e s'agita sulla poltrona, le cade la *lorgnette*, poi scampanella per un altro po' di tè, e quando il nipote finalmente va via, sospira affranta: "'Innamorato'... che vorrà mai dire?'".

Avevo diciannove anni. Non volevo vivere per un uomo, per una casa piena di spifferi, per dei bambini attaccati alle gonne, non volevo un marito scelto da mio padre, un nome tra cinque – cinque! solo cinque le possibilità che mio padre mi assegnava! E quel foglietto che papà mi tendeva, cos'era se non una sentenza sbrigativa e arbitraria, un fantasma venuto dal passato congelato delle convenzioni? Un matrimonio combinato. E perché in tempi così rapidi? Non era capitato così alle mie amiche: Olimpia Rignon aveva sposato il suo tenente di Cavalleria che l'aveva corteggiata per un intero inverno. Sapevo che in casa mia certe "modernità" non erano ammesse ma non credevo che potessero spingersi a tanto. Ero allarmata, impaurita e rabbiosa. Ho solo diciannove anni e viviamo nel 1928, *questo è un mondo moderno*, guarda fuori dalla finestra, papà, sul corso, accanto ai carri da fieno e ai barrocci sfrecciano le automobili! Il mondo e gli usi cambiano, non sacrificare me in un rito ingiusto, inutile, anacronistico e crudele...

E invece mi sentii dire, con la mia voce di sempre, mentre scorrevo la lista con gli occhi:

"Giuseppe Braquemond... è un cugino... Preferisco mantenerlo tale. Giovanni Bricherasio... è troppo vecchio, papà, non vorrei... Enrico Bellardi... è un banchiere, è troppo ricco. Sarebbe un mercato... E Francesco Villaforesta... non l'ho visto che un paio di volte... Monta molto bene a cavallo, no?".

"Sì," disse mio padre, "è figlio unico e ha molta terra di cui occuparsi. Un ottimo ragazzo, mi dicono. Sua madre è una..."

Non lo ascoltavo più. Questo Villaforesta mi pareva la grazia concessa all'ultimo momento. Villaforesta, pensavo, forse mi consentirà di allevare i miei purosangue; ama i cavalli e la vita sportiva, come me; e le poche volte che l'avevo visto mi era sembrato un uomo elegante, poco incline alla mondanità, probabilmente di poche parole. Quando lo sguardo mi scese sull'ultimo nome della lista, Eugenio della Torre, seppi poi che si era trattato veramente di grazia. Il povero della Torre era considerato l'uomo più sciocco di tutta la città.

Mi sono sposata a Torino, il 10 ottobre 1928. Non avevo ancora vent'anni quando l'idiozia di della Torre, il danaro di Bellardi, i capelli grigi di Bricherasio, la parentela con Braquemond mi fecero camminare, con la testa incalottata in un autentico velo di Bruxelles, lungo la navata della Cappella dei Santi Pietro e Paolo. Eccomi: in mano reggo un mazzo di gigli frammisti a nastri di raso; ai piedi ho deliziose scarpe alla moda, di vitello bianco col cinturino e il tacco a rocchetto; e il vestito, tagliato su misura dalle Sorelle Gambino, è un modellino all'ultimo grido, viene da Parigi e sfiora la caviglia. Al collo porto il filo di perle che mi arriva fino all'ombelico, regalo della Granmammà. È un premio? una promessa di altri e più scintillanti regali, se mi comporterò come si deve? Quel che è certo è che sono davvero – per un giorno almeno! – una *demoiselle à la mode*, mio padre ha messo da parte le sue preoccupazioni finanziarie – "le sue tirchierie," dice mio fratello – perché sono l'unica figlia e mi si vuole sposare con decoro.

Il Re ordinò che la lasciassero dormire tranquilla finché non fosse arrivata la sua ora di risvegliarsi.

"Peccato, peccato," gracchia la Granmammà. "Peccato che non *si usi più* portare di giorno le piume di struzzo, avrei voluto vederti indossare il mio boa che viene dalla Cina."

"Ma no, Granmammà," s'intromette mia madre. "Non viene dalla Cina, lo comprai con Vittorio a Napoli, in viaggio di nozze, alla Riviera di Chiaia."

"Ma no, Elena," interviene mio padre. "Lo comprammo a Parigi da Gault, non ricordi?"

E non fanno che discutere e discutere del boa di struzzo, se veniva da Pechino, da Napoli o Parigi, e perché non guardate tutti me, perché non vi accorgete che sono ancora io, anche se dura così poco, giusto il tempo di una funzione religiosa, poi esco di lì e ci mettiamo tutti in posa per la fotografia e io sono oramai – tanto vale metterselo bene in mente – "la Villaforesta". Guardo il marito che mi ha scelto mio padre: è bello, ha una fierezza di sguardo attraente, porta i baffi e mi parla con molta dolcezza.

Non provo altro, né curiosità né desiderio.

Dopo il ricevimento, andata via l'ultima cugina con l'*aigrette* oramai di sbieco, Francesco e io andiamo a Revigliasco, in casa di sua madre, dove passeremo la prima notte insieme. Mi ritiro in camera mia. Mia suocera, Irene, mi manda la sua cameriera che mi spoglia, mi aiuta a pettinarmi e a lavarmi, mi spruzza addosso del profumo mentre borbotta in piemontese frasi sconnesse e ridacchia tra sé e sé.

Sono ingenua, ma non abbastanza. Intuisco che questa cameriera di mezz'età, sbeccata come una vecchia teiera, allude a quello che di lì a poco mi accadrà.

Provo repulsione per le mani grassocce che mi pettinano i capelli e per quegli occhietti ammiccanti, la licenzio con durezza.

Domani senz'altro lei lo riferirà a mia suocera, che non mancherà di riprendermi: perché ho voluto offendere una così brava donna, una perla, in casa da trent'anni?

Perché?

VI.

In viaggio di nozze andammo a Parigi.

Scendemmo al Lotti e risultò evidente già dopo qualche giorno che nemmeno i cavalli avrebbero mai potuto avvicinarci. Camminavamo in faubourg St-Honoré e mentre io tentavo di respirare Parigi stipandone ogni vetrina, ogni caffè, ogni passante nella memoria, mio marito esibiva un tono annoiato e blasé, come di colui che ha tutto già visto e sperimentato; e forse i suoi amici in Cavalleria, con i loro racconti di donnine allegre e corse a Longchamps, gli avevano davvero rovinato la sorpresa; forse Francesco cercava a Parigi altre emozioni, non questi souvenir di lusso spendibili facilmente, al nostro rientro, nei salotti di Torino.

Con me s'annoiava: soffriva, credo, di non far parte del drappello di gentiluomini e belle donne che cinguettavano attorno al duca di Westminster, di non possedere a casa due paraventi Coromandel come Coco Chanel o di non partire, in estate, per Biarritz.

Ma i malumori di Francesco mi scivolavano addosso senza lasciare traccia. Ero a Parigi. A Torino c'era sempre qualcuno che ci andava "per fare il punto della situazione" in fatto di musica, d'arte e di teatro, e chi ci andava invece, come lo zio Clavesana, per farsi fare le camicie. Parigi restava inchiodata nella memoria come un luogo da cui provenivano gli oggetti più disparati: le rose di seta da mettere nei vasi e le essenze di colonia, il foie gras e i pennelli di martora che adoperava la Granmammà per dipingere. La lista poteva continuare a lungo: gentiluomini in frac che passeggiano di buon mattino per schiarirsi le idee dopo una notte allegra, grandi couturier, le collezioni di ovetti Fabergé che un drappello di russi bianchi si vende per pagarsi l'affitto di due stanze a St-Michel, il Louvre con i suoi tesori – dove mi tremava il cuore non alla vista della *Gioconda*, bensì degli interminabili corridoi vuoti, e se mi perdo qui dentro, pensavo, chi mi recupera, chi mi porta in salvo, e resisterò una notte intera chiusa tra tutte queste facce, siamo certi che non scenderanno in processione per turbinarmi attorno e farmi perdere la ragione? Qualcosa del genere non era forse capitato a una turista olandese qualche anno prima?

Non era solo la città ad alimentare quella irrequietezza; ero presa da un'eccitazione mai provata prima, perché lì, fra le vetrine alla moda, avevo fatto una scoperta: avevo capito di essere bella.

La sera, quando Francesco tardava a rientrare – dove andasse non lo so, ma posso immaginarlo –, mi spogliavo da sola, finalmente *da sola*, in bagno e mi guardavo allo specchio senza vestiti. Non ero rotonda come le donne lattiginose di Renoir, e come del resto erano state mia madre e mia nonna; ma non ero neanche spigolosa.

Francesco non aveva niente a che fare con questa rivelazione. Il tempo notturno che avevamo passato insieme dal giorno del nostro matrimonio era stato scadente, nulla che valesse la pena ricordare.

Credo invece che il mio primo incontro con Trott abbia molto a che vedere con la scoperta di essere una donna con certe attrattive.

Eravamo stati invitati a un ricevimento dalla baronessa di Lunden, una cugina di mia madre che aveva sposato un diplomatico tedesco.

Ricordo bene quella casa in rue Cambon, illuminata da dozzine di candele, i vasi di cristallo dove la baronessa aveva sistemato grandi mazzi di calle. Tutti e quattro i saloni erano decorati in puro gusto neoclassico; come a dire, ecco, dopo le frivolezze – rococò, liberty, eclettiche, quel che si vuole –, torniamo all'eleganza di linee semplici e ricche, torniamo allo stucco bianco che s'alterna all'oro, e davvero in quella casa non c'erano altri colori se non il bianco e l'oro. Le calle, rigide sui loro steli – quei fiori così frigidi e chic e *moderni* –, stavano a significare che la baronessa sapeva – oh, se sapeva! – che lì fuori, sui grandi boulevard, impazzava qualcosa che si chiama "il nuovo gusto", che tanta mobilia stuccata avrebbe dovuto andare in soffitta, perché le case alla moda oggi sono rarefatte conchiglie di lacca nera e tappeti chiari – la tinta unita è più facile, non si scivola sul gusto –, ma la baronessa è una tenace marescialla dell'antico, come i suoi tanti cognomi e predicati stanno a ricordare, e non s'arrende con facilità alle aberrazioni del contemporaneo. Tuttavia, quando ci viene incontro con un sorriso indossa una tunica in jersey dalla scollatura morbida e, appuntata sulla spalla, ha una spilla di diamanti e rubini *inequivocabilmente* déco.

Francesco finalmente sembra a proprio agio, si muove con disinvoltura, conosce due o tre personaggi con i quali intraprende lunghe conversazioni.

La baronessa di Lunden si occupa di me, mi trascina di qui e di là e dice a tutti quelli che incontriamo che è una bella sorpresa che io sia "così *charmante*, una autentica bellezza". I suoi ospiti annuiscono, come per darle ragione; e la baronessa s'indispettisce, protesta, perché ci hanno tenute lontane tanto a lungo?, "è mai possibile?", sarei dovuta arrivare a Parigi "molto prima"; non chiedo prima di che cosa. In cuor mio sospetto, anzi, so, che quel "prima" sta a significare prima del mio veloce matrimonio con Francesco, che evidentemente la baronessa considera una mésalliance. Fremo, ma non d'indignazione, giusto del suo contrario: penso anch'io che avrei dovuto vedere un po' di mondo prima di legarmi, anima e corpo, a un signore di bei modi che a stento conosco.

Quando ci sediamo a tavola, mi ritrovo di fronte a mio marito, ma non lo vedo. È nascosto da alzate di cristallo e bronzo dorato, ricolme di fiori bianchi e piccole praline multicolori. Alla mia destra ho un inglese di passaggio, che mi intrattiene con garbate osservazioni sugli ultimi ritrovati in tema di riscaldamento domestico: ma come, non sapevo che si può essere partigiani dell'una o dell'altra scuola, tubi riempiti di aria calda contro tubi pieni di acqua bollente? e io quale preferisco? cosa si adopera in Italia?

Quando gli rispondo che a me piace davvero solo il fuoco, perché ha un buon odore e una bella luce, la conversazione si arena come un tronco a riva; e non c'è più nulla che possa resuscitarla. L'inglese, sconsolato, si volta alla sua destra e attacca una conversazione – ancora sul riscaldamento? – con una donna vestita di rosso. Guardo davanti a me, ammiro la cura con cui la baronessa ha sistemato i suoi convitati che chiacchierano tutti disinvoltamente, a due a due.

Ha sbagliato solo con me, mi dico. Quest'inglese cui brillano gli occhi di intima soddisfazione mentre spiega il funzionamento di un moderno calorifero tornerà a casa deluso e convinto che agli italiani del progresso non importi un'acca, anzi, fosse per loro...

Resto in silenzio. Ho bevuto un po' di champagne e adesso tutto si confonde. Le voci, il tintinnio delle posate, la luce danzante delle candele, e io capisco, con la bruciante chiarezza delle intuizioni, di essere in trappola. La mia vita è stata decisa, organizzata, progettata da qualcun altro. Mi hanno dato un recinto al cui interno posso scalciare, muovermi, impigrirmi; ma si tratta di un paddock. Il mondo è fuori.

"Vous êtes toujours si triste, Madame?"

La sfrontatezza della domanda mi gela.

Sto ancora guardando la tavola della baronessa e la sua scelta di fiori bianchi. Prendo fiato, prima di mettere a fuoco le parole glaciali con le quali rispondere all'impertinenza. Sono Peak, il mio baio, quando ha paura di un tuono.

Mi si gonfia la vena sul muso, gli occhi fissano nel vuoto, le narici fremono.

Scalcio, non mi lascio tenere per la cavezza, do strattoni. Il cuore mi pulsa all'impazzata.

Nulla di questa mia trasformazione trapela all'esterno.

Poi, lentamente, mi volto alla mia sinistra.

Sono immobile, ma dentro mi sento cadere. Precipito nel vuoto. Non vedo né sento più altro. *Tutto ciò avvenne in un attimo: le fate sono assai svelte nelle loro faccende.* Ho davanti un uomo di ventotto, trent'anni. Ho davanti Trott.

VII.

Seppi dopo che a Trott parve che lo guardassi con la stessa espressione con cui lui guardava me. Che sentì nel mio sguardo lo stesso potere raggelante che io avevo avvertito nel suo. Lo chiamavano Trott per abbreviare un cognome austriaco lunghissimo e impronunciabile, uno di quei nomi che la baronessa di Lunden avrebbe definito *en courant d'air.* Era nato a Venezia, ma cresciuto a Parigi perché in famiglia temevano che gli nuocesse l'umido – la sorella era morta di febbri reumatiche, quando ancora tenevano casa aperta sul Canal Grande; e mi fu detto che era sposato da qualche mese con una ragazza di Bordeaux, Inès. Si occupava di affari, diceva qualcuno; di politica, secondo la baronessa di Lunden, che amava invitarlo perché parlava con scioltezza l'inglese, il francese, il tedesco e l'italiano ed era così beneducato da essere sempre il più gradevole degli ospiti.

Non avrei mai potuto immaginare, quella sera, quante cose avrei saputo di lui. Allora ebbi solo l'indubitabile certezza di essere bella, ai suoi occhi, come mai più sarei stata agli occhi di qualcuno.

Ebbi anche la sensazione di perdere qualcosa. Non mi parve, in quel momento, cosa da molto. Non capii la portata di quel che stava accadendo.

Avevo davvero udito lo schiocco di dita del funambolo: *perfino gli spiedi ch'erano nel camino, carichi di pernici e fagiani, si addormentarono, e si addormentò anche il fuoco.*

Tutto ciò avvenne in un attimo: le fate sono assai svelte nelle loro faccende.
E io mi addormentai. Continuai, quella sera, a bere vino e a conversare, e poi, nei giorni a seguire, a godermi Parigi e i suoi magnifici viali. Tornai a Torino e cominciai la mia nuova vita: i pranzi, le cacce e le prove con la sarta e la modista, perché – da signora sposata – due volte l'anno dovevo rifarmi il guardaroba.

Fuori dal mio salotto tappezzato di seta infuriava qualcosa che chiamavano un nuovo partito, e le discussioni infiammavano quanti – fra i nostri mariti – si davano la pena di leggere i giornali.

Francesco non era tra questi. Tutte le mattine attendeva con ansia che arrivasse Gino dalla strada dei Cunioli Alti, in collina, con i secchi di metallo pieni di latte. Gino si sedeva in cucina, si faceva versare un bicchiere di Barbera e aspettava Francesco per dargli notizie sui cavalli, se il nuovo puledro mangiava per bene, se la giumenta era stata finalmente ingravidata. Queste erano le sole notizie che interessavano mio marito.

Quanto a me, per pigrizia, ignoranza, disattenzione al mondo esterno, nemmeno sospettavo che si potesse vivere in modo diverso dal mio, dalle mie lente giornate tutte uguali scandite dai doveri sociali e da qualche rara incombenza domestica.

Oggi posso dire, con assoluta sicurezza, che allora io dormivo. Altrimenti mi sarei accorta che in pochi anni Torino era rapidamente cambiata. Bastava camminare sotto i portici il sabato pomeriggio per vedere facce mai viste prima, belle ragazze con le guance rosse passeggiare a braccetto dei fidanzati, gente che dai vestiti s'indovinava appena arrivata in città, giovani militari, studenti. Aprivano stabilimenti, nuovi cinema, caffè, piole lungo il Po, e dalle campagne intere famiglie si trasferivano in città. Quando, in quegli anni, ascoltavo distratta i discorsi dei miei genitori, spesso sentivo dire, con una punta di disgusto, "è un industriale". Lo si diceva del senatore Raimondi e del barone Moncalvo, dei Clermont e di tanti altri. *Quegli industriali* erano, secondo mia madre, coloro che facevano dei loro – e dei nostri – passatempi la loro principale occupazione: "gli automobili," lei diceva così, e "le films, buone solo per le cameriere e i lattai", e l'opinione di mio padre era altrettanto limitata. Fra tutte le professioni possibili, solo quella dell'industriale suscitava in loro ammirazione e sospetto: pazienza che sorgessero, dove prima c'erano campi coltivati, grandi stabilimenti dall'aria sinistramente "moderna"; pazienza che s'aprissero fabbriche di birra e di dolciumi – e qui mia madre davvero non capiva chi potesse desiderare bere *birra* o mangiare *un dolce di fabbrica* –, ma che costoro avessero successo, poi! E che scalzassero la vecchia guardia, chiedendo di essere ammessi al Club o comprando le ville della collina... E con vero raccapriccio mia madre rifletteva sulla sorte della vecchia contessa di St-Pierre, costretta a vendere a un certo Fenoglio i pezzi più importanti della sua collezione d'arte... O dei Costamagna, che avevano ceduto il palazzo di famiglia a un industriale laniero, figlio di un maestro di scuola... che aveva dato un ballo esageratamente costoso... tartufi e ostriche *pour épater... épater* chi, poi?... Insomma, la prudenza suggeriva di tenersene saldamente alla larga, tanto poi quelli nemmeno ti invitavano.

Francesco, almeno in questo, la pensava diversamente e, nei primi tempi del nostro matrimonio, più di una volta mi aveva spinto ad allargare gli inviti al di fuori della cerchia degli amici abituali. Ricordo quelle rare occasioni come un piacevole diversivo: di solito erano uomini ansiosi di raccontare del proprio lavoro o delle difficoltà che incontravano quotidianamente. Sentivo parlare di politica e associazioni operaie, di profitti e mercati europei, di crisi economica e di progetti legati alla commercializzazione o al miglioramento di questo o quel prodotto. Argomenti per me del tutto nuovi, che mi sforzavo di comprendere e di ricordare.

Dopo pranzo, l'etichetta prescriveva che gli uomini restassero in sala da pranzo per fumare un sigaro e bere porto, e le donne si trasferissero in salotto. Noi avremmo dovuto parlare di musica, di mostre d'arte o dell'educazione dei figli. Con mia sorpresa, scoprii che alcune di quelle donne avevano un modo di argomentare molto diverso da mia madre e dalle sue amiche. Si ponevano delle domande; ammettevano i loro dubbi. E non sempre conoscevano le risposte.

Queste serate erano, mi sarei resa conto col tempo, il maldestro tentativo di mio marito di non essere tagliato fuori da quanto stava succedendo in città, dove cadevano le barriere, se non i pregiudizi, e tutto si mescolava. Ma l'idea che se ne fece, nel giro di un anno, finì per coincidere esattamente con quella dei miei genitori: ogni novità era da guardarsi con circospezione. Molto meglio lasciare le notizie dei commerci e le tendenze politiche alle pagine dei giornali e restringere la conversazione del nostro salotto alle corse dei cavalli e alle battute di caccia.

Francesco conduceva la sua vita e io la mia. Le nostre conversazioni finirono col limitarsi allo stretto necessario.

Mi ero convinta che nulla avrebbe mai cambiato il ritmo lento e disilluso del nostro tran tran familiare. Vivevamo in un paddock. Tutto lì. C'era di peggio, probabilmente.

VIII.

È la mattina di Natale. Sono sposata da due mesi. Al ritorno dal viaggio di nozze ho chiesto, e ottenuto, di dormire in camere separate, benché attigue. Villaforesta non ha sollevato le obiezioni che temevo. Si è limitato a un'alzata di spalle e a un glaciale: "Come preferisci".

Questa notte però è entrato in camera mia, furtivo come

un ladro. Un chiarore filtra dalle tende, credevo fosse già l'alba e invece è la neve, caduta poco dopo la mezzanotte.

"Ha un riverbero straordinario, anche nel buio."

"Sì. Che meraviglia. Neve a Natale," ho risposto, rincalzandomi il lenzuolo fin sotto il mento. Villaforesta ha finto di non accorgersi delle mie manovre e, con la stessa naturalezza con cui si annoda la cravatta, s'è infilato nel letto. Mi sono sentita ghiacciare, ma non ho avuto il coraggio di dir nulla.

Lui ha appoggiato la testa nell'incavo della mia spalla. I suoi capelli mi sfiorano la guancia.

"Perché?" mi domanda. "Perché hai paura?"

"Non ho paura," gli dico, "non ho affatto paura."

"Allora lasciati andare," sussurra.

Dov'è che dovrei lasciarmi andare?

"Non ho nessun bisogno di *lasciarmi andare*," gli rispondo con tutta l'asprezza di cui sono capace.

"Come vuoi," ribatte.

Non è un amplesso, è l'affermazione di un diritto.

Non provo niente. Lo sento madido di sudore, un peso sul ventre del quale vorrei liberarmi ma che non oso spingere via. Chiudo gli occhi per concentrarmi solo sulle mie sensazioni fisiche. Nulla. Non accade nulla. Sono distratta e lontana, e impercettibilmente mi sdoppio, scivolo via da questa figura femminile seminascosta dal corpo asciutto di Francesco. È come se li guardassi, lui e lei, incapaci di comunicare, sempre più distanti, nonostante l'atto fisico che stanno compiendo, due estranei che dividono un letto ma che appartengono a mondi diversi.

Più tardi, quando Villaforesta si è addormentato, sono sgusciata via per vestirmi.

Non albeggia ancora. Ho sellato da sola Viburno e sono andata verso il parco. Torino è silenziosa e deserta, come non l'ho mai vista.

Arrivata al Galoppatoio del Valentino, ho proseguito.

Non so perché, semplicemente non mi sono fermata.

Ho attraversato il ponte dedicato a re Umberto e ho cominciato a salire verso Val Salice. Salgo al passo. Il terreno è scivoloso. Le impronte degli zoccoli sono tanti buchi scuri, una fanghiglia acquosa. La temperatura sale rapidamente. Durerà poco, la neve. Dalla collina scendono uno o due barroccini, contadini che portano giù legname per le stufe, latte o burro per la città. Le ruote lasciano lunghi solchi diritti, netti, senza sbavature.

I contadini mi guardano appena, e gli indovino nell'anima un breve stupore per questa figura di donna che da sola punta alla cima delle colline, ostinata come il cavallo che monta. Quando si apre uno sbocco tra le colline e s'indovina la piana, allagata di neve, mi fermo ad accarezzare Viburno, e con la mano sento la seta del manto che appena s'increspa sotto le dita. Ha voglia di galoppare, lo intuisco da come scuote la testa. Ubbidisco. Tutti e due abbiamo bisogno di sentire come punge sul viso l'aria di neve, come si tendono i muscoli nello sforzo e come si scalda la pelle quando accelerano i battiti e diventa più corto il respiro. Corriamo, a lungo, finché alle spalle non resta più niente che valga la pena voltarsi a guardare.

Gli alberi e i cespugli macchiati di neve sembrano appartenere a un altro mondo, non solo a un altro panorama. Nulla mi è più familiare, ridotto così, dopo una nevicata e con tutto questo silenzio notturno. Il cielo si è fatto pulito, senza più nuvole.

La luminosità della neve non oscura la luminosità delle stelle. Rientro più quieta, al passo.

Sto passeggiando in un mondo irreale, che ha i colori della lastra di un dagherrotipo.

La neve attutisce il suono degli zoccoli. Non fa freddo, e la luna sta per tramontare.

La sera del mio fidanzamento con Francesco, i miei genitori avevano dato un pranzo. La Granmammà aveva ritirato in banca l'orologio da tasca che era appartenuto al bisnonno. Mio padre aveva stappato personalmente lo champagne, quando Francesco mi aveva infilato al dito l'anello di fidanzamento – due rubini montati *en contrarié* –, e ci aveva invitati ad andare in giardino. Francesco mi si era avvicinato e aveva cercato di abbracciarmi. Ero indietreggiata di qualche passo, finché non avevo urtato contro il muro di cinta. Era estate, e nel buio si sentivano il richiamo notturno del chiurlo e il profumo del gelsomino che saliva a ondate. Dalle finestre aperte arrivava l'eco della conversazione dei miei genitori. C'erano così tante lucciole e stelle.

"Francesco, io non voglio."

"Lo so. Non preoccuparti."

Al buio potevo immaginare che stesse sorridendo. Dovevo sembrargli una ragazzina stupida. Una che stava per dirgli che non voleva sposarsi e che nemmeno sapeva baciare e che davvero non avrebbe voluto, certo se si fosse potuto evitare...

Quel bacio senza desiderio era stato il primo che avessi mai dato. Non capivo se mi fosse piaciuto. Non so. Non sapevo. Tenni lo sguardo fisso su quel punto luminoso lontano che era il lampione sul corso. Non chiusi gli occhi come avevo visto fare alle dive del cinema, ma c'era un pianoforte come sottofondo, mia madre si era messa a suonare per intrattenere gli ospiti.

Anche adesso, come allora, le stelle mi sembrano centinaia di spettatori. Il cielo notturno non è altro che una molteplicità di sguardi puntati su di me. Tutto l'universo mi guarda. E io restituisco lo sguardo, finché posso, fin dove arriva il raggio delle pupille, fin dove vedo.

Non so che cosa devo fare.

Tutti gli occhi di un cielo stellato sono rivolti verso di me.

La passeggiata non è riuscita a scrollarmi di dosso la claustrofobia della mia camera da letto, la mia irresolutezza. Vorrei fuggire, ma non so da dove cominciare. Non so niente. Ho diciannove anni e non so che cosa farmene.

IX.

Ero sposata già da qualche anno, quando lo rividi. Ci incontrammo in casa dei Passerano, ma sarebbe più esatto dire ci scontrammo, tale fu la violenza dell'emozione che provai nel rivederlo. Emozione cui ero, del resto, totalmente impreparata. Come posso descriverla? Quanto tempo passa fra l'istante in cui un'immagine colpisce la retina e quello in cui arriva al cervello? E da lì, incanalata in ramificazioni che mi sono oscure, si fa memoria, stupore, desiderio? Quanto può essere breve lo spazio che ci separa, pochi centimetri di buona creanza, mentre Trott s'inchina, mi prende la mano per baciarla e mormora:

"Si ricorda di me?".

Eppure si tratta di uno spazio smisurato, dove s'illuminano e si spengono come le luci di un faro visioni polimorfe di me e Trott insieme, preda l'una dell'altro e poi infinitamente lontani, due perfetti sconosciuti. Bastano un volto, una voce, a scardinare quanto di saldo e razionale ho costruito? Perché non mi accontento di come il mondo mi appare – ed è già un tale privilegio –, sotto forma di tavole apparecchiate con argenteria e cristalli, case sontuose e mariti cortesi, manicotti in zibellino e piccole, e nuove e veloci e immensamente graziose, automobili cromate?

"Si ricorda che pranzammo seduti accanto dalla baronessa di Lunden, a Parigi, quasi quattro anni fa?"

Ecco, al suono della sua voce mi sveglio dal mio sonno e realizzo – ma è una sensazione che mi ubriaca – che sono viva e desta e in pieno possesso di me solo in presenza di Trott.

35

Che dalla sera in rue Cambon a stasera in riva al Po ho dormito del sonno irreale delle fiabe: ho vissuto in sordina, senza provare vere gioie né veri dolori.

Trott sa *benissimo* che io mi ricordo. Ma rispondo comunque.

"Mi ricordo. Sì, mi ricordo."

La mia voce non è un fruscio spaventato, e non tradisce alcuna emozione.

Trott mi offre il braccio per entrare nel salone. Facciamo pochi passi e s'avvicina una donna sorridente che indossa una nuvola di mussola rosa. Ha il viso affilato e un'espressione tesa, che tuttavia non altera la bellezza dei tratti. Gli occhi sono molto scuri. Mi guarda con interesse.

"Noi non ci conosciamo, vero?"

Trott fa le presentazioni. È Inès, sua moglie, che ha deciso di farsi riaccompagnare a casa da un'amica perché ha una terribile emicrania.

Prima di allontanarsi scruta Trott, ma non gli dice nulla. Si volta, invece, verso di me.

"Glielo affido," dice con un sorrisetto.

Trott non sembra turbato dal malessere della moglie. Non si è nemmeno offerto di andar via con lei.

Mio marito mi fa un cenno, dall'altro lato del salone. Lo raggiungo, lasciandomi Trott alle spalle. Non mi volto, ma so che mi sta guardando.

È un grande ricevimento: i conti di Passerano devono aver assoldato schiere di fioristi e tappezzieri, si capisce che *sanno* invitare: "Non è, naturalmente, questione di danaro, ma d'uso di mondo," avrebbe detto mia madre. "Un'attitudine che raramente s'impara e non necessariamente si eredita." Francesco e io frequentiamo molto spesso queste riunioni mondane, è chiaro da tempo che non abbiamo nulla da dirci.

Guardo la folla allegra e vociante, e m'immedesimo nel fastidio che deve provare la nostra ospite da quando un numero sempre crescente dei suoi invitati ha preso il vizio di indossare, al posto del frac, una lugubre uniforme di regime. Il momento peggiore è quello in cui ci si siede a tavola. Io mi annoio terribilmente, ma è qualcosa, la noia di questi ricevimenti, cui mi sono perfettamente abituata. Due o tre tavoli più in là è seduto Trott; per tutta la durata del pranzo mi guarda, al punto da costringermi, più di una volta, a chinare la testa.

Quando finalmente viene servito il caffè in salotto, possiamo alzarci da tavola. Lentamente, sciamiamo verso i saloni e la sala da ballo. Esco dalla sala da pranzo nello stesso momento in cui passa Trott.

Non dico nulla, né mi volto a guardarlo, quando mi fa scivolare in mano un biglietto da visita mentre mi allontano al braccio di mio cugino Oddone, che dopo due bicchieri di champagne non s'accorge più di niente. Poi, mi infilo dietro una tenda semichiusa. Alcuni camerieri in livrea stanno sistemando sui vassoi dei bicchieri appena risciacquati. Mi guardano in silenzio, stupefatti. Ma non quanto me, che sto leggendo:

Sono il primo a meravigliarmi per l'insistenza dei miei sguardi, ma si tratta di un piacere cui non so rinunciare.

Di quella sera ricordo poco altro. C'era un'orchestrina, in un angolo, che suonava musica moderna. Francesco sarà stato sprofondato in qualche poltrona a discutere di cavalli col padrone di casa.

Intravidi una portafinestra aperta sul terrazzo e mi ci infilai, svelta. Restai lì per un po'.

Pochi minuti, credo. Se chiudo gli occhi mi rivedo, nel mio abito d'organza color malva, che ondeggia leggerissimo nella corrente.

Non c'è vento, ma il fresco, dopo tanta calura, mi fa rabbrividire.

Alle mie spalle sento un fruscio, poi due braccia mi stringono la vita.

Non ho bisogno di girarmi per sapere che è Trott.

Lo sento appoggiare la bocca al mio orecchio e sussurrare: "Quando ti rivedo?".

Non dico nulla. Le sue parole si perdono nel brusio che arriva dai saloni.

Esito. Non riesco a trovare una risposta: *Tra un'ora. Domani. Mai.*

Che cosa devo dire? Sta accadendo di nuovo, la voce di Trott apre uno squarcio, una voragine nel tempo e nello spazio che si riempie di tutte le innumerevoli visioni di noi due insieme, soli, senza questo sfavillio di candele, senza saloni lustrati a festa, senza musica, senza...

Trott non c'è più. È sparito, andato chissà dove. Lo cerco con gli occhi, quanto mi consente la decenza. Nulla.

Mi avvicino addirittura alla contessa di Passerano, e mi odio per non riuscire a frenare questa curiosità fuori luogo che mi espone al ridicolo. Ma c'è qualcosa di più forte del mio pudore, e senza giri di parole le chiedo, quasi brutale:

"Ha visto Trott, per caso?".

"Chi, cara? Trott? Chi è Trott?" risponde lei rauca e infastidita, lei che evidentemente lo conosce col suo nome vero e non con questo ridicolo soprannome.

Ma con quell'unica domanda io ho esaurito tutto il mio coraggio, e non posso formularne un'altra. Non ad alta voce, almeno.

Perché, in silenzio tra me e me, adesso sono io a ripetermi: *Trott? Chi è Trott?*

Solo più tardi, a casa, mentre mi rigiro nel letto senza riuscire ad addormentarmi, mi rendo conto che mi ha dato del tu.

2.

LA BANDITA

I.

Tutto attorno è penombra. Tengo le luci basse e compro lampadine da pochi watt, così chi viene a trovarmi non s'accorge subito delle sfilacciature del tappeto, della polvere che certamente si è posata un po' dappertutto, dell'argenteria sporca. È che oramai ci vedo poco, né del resto mi sono mai curata granché di simili dettagli. Non credo che le mie donnine, che vengono a giorni alterni a farmi un po' di cucina e a spolverare qui e là, sappiano come andrebbe tenuta una casa; e, per quanto riguarda me, mi pare che il tempo che ci è rimasto sia prezioso come lo zucchero in tempo di guerra: che diritto ho di buttarlo via lucidando le cornici?

Attorno a me, non c'è più nulla e nessuno. L'ultimo cavallo, Bluebird, è morto almeno quindici anni fa, di crepacuore credo, perché non mi riusciva più di montarlo. L'orrendo dottor Scauri mi ammoniva:

"Alla sua età, le altre fanno le nonne e le bisnonne. Se si rompe adesso, chi la rimette in piedi? Neanche la Madonna di Lourdes. Scenda da cavallo e giochi a canasta".

"Senta, Scauri, il cavallo è la mia vita. Monto da quando avevo dodici anni. Sa cosa vuol dire alzarsi ogni mattina alle cinque per strigliare un cavallo, andar fuori con qualsiasi tempo e uscire la notte durante i temporali per tranquillizzare i cavalli col suono della voce?"

"Senta lei, piuttosto. Da un certo punto in poi il corpo diventa un nemico e va trattato con furbizia, altrimenti ci scarica per strada. Mi capisce, sì o no? Gli anni sono anni anche per lei."

Certo. Gli anni sono anni anche per me. Ho sostituito la passeggiata a cavallo con una buona camminata di mezz'ora tutte le mattine, fino al fontanile dei caprai, con i cani dietro. Da lassù vedo i filari della vigna, tristi d'inverno come le croci di guerra in un campo, che poi, via via che passano i mesi, si vestono di tralci e di foglie, come le ragazze alle feste. Dino mi aspetta in cima alla salita, si scappella, e dice: "Bella giornata, eh?", anche se piove, se c'è nebbia, se tira vento. Per noi, qui in campagna, sono sempre belle giornate. L'aria brucia di freschezza nei polmoni.

L'idea mi è venuta durante una di queste passeggiate silenziose: voglio dare una festa, come quelle di allora, per riportare qui gli amici che non vedo da tempo. Non degli amici qualsiasi; ma quelli che mi hanno visto arrivare alla Bandita senza niente. In fuga da un matrimonio diventato insostenibile. Mi sono portata sulle spalle la disapprovazione della mia famiglia e degli amici d'infanzia così a lungo da non saper più cosa significhi essere approvati. E adesso che sento sfuggirmi il tempo fra le dita, voglio che vedano. Non so perché confondo i sentimenti che ho provato con quello che sono stata: impaurita, sola, determinata, non avevo un mestiere né un'idea, solo questa campagna.

Dove sono finiti tutti? Negli anni della giovinezza e della maturità, tutto è ancora movimento. Poi, senza che noi si sappia nemmeno quando e come accade, il movimento rallenta, diviene appena percettibile, e infine – ed è un colpo di mano arbitrario – ci esclude.

Cambiano le mode e gli umori, la cronaca, per non dire la storia, che è figura dal respiro più grande e autorevole, registra eventi dei quali siamo ormai inutili spettatori.

Allarme Mediterraneo: si sta trasformando in un mare tropicale. I climatologi, riuniti a Firenze per un convegno internazionale, avvertono che in cinquant'anni la temperatura media è aumentata di otto gradi ed è destinata a salire ancora.
Sono eventi che non ci appartengono più e a cui noi non apparteniamo più.

Lo stesso accade qui. La mia casa con la torre smozzicata, il suo giardino e gli ettari a vigna, Siena lontana, laggiù, su quella collina come il fondale per un Guidoriccio da Fogliano casareccio – Dino, magari, che fa il giro della tenuta a cavallo. E io chiusa qui dentro, che sento da lontano lo sferragliare dei Tir sulla superstrada per Firenze, vedo i tralicci dell'alta tensione, ascolto il telegiornale della sera, ma se gridassi al mondo che sono qui, e viva, l'urlo risuonerebbe solo nelle mie orecchie, perché al mondo non appartengo più.

Entra Dino, a portarmi i conti. C'è da spaccarcisi il capo. Cifre, rendiconti, le note da pagare, il danaro che entra. Alla fine, quando sono rimasta sola, ho dovuto imparare, ma con quanta difficoltà. C'è Dino, per fortuna, che mi aiuta. Ha pazienza, come me. Perché ci vuole un'infinita pazienza per resistere ai lunghi mesi invernali, quando la campagna pare morta, e così la vigna e l'oliveto; in realtà non ci si può fermare mai, neanche d'inverno, ma tutta la fatica e la lena che ci si mette, la si vede solo mesi dopo.

Bisogna spiantare cento olivi. Piante di cinquant'anni, impalcate a spalliera, brutte. Dino dice che su quella terra, dopo un po' di riposo, ci si può mettere altra vigna; che adesso, con tutti i premi che ci danno, dobbiamo concentrarci sul vino. "È il *bisines* che cambia, e noi gli si va dietro. Vogliono il vino, e noi diamoglielo. E non si preoccupi per gli olivi. Ho trovato un vivaista a Firenze che fa tutto a carico suo, pota e cava le piante. È un affare, e noi abbiamo troppi alberi. L'anno scorso abbiamo dovuto vendere le olive sull'albero, fare l'olio non conviene più. Dia retta. È meglio il vino." E io m'incapriccio, tengo duro, non voglio. Dino sta lì in piedi col cappello in una mano e un foglio ciancicato nell'altra, mi blandisce, mi spiega tutto per la centesima volta, pazientemente e daccapo.

Io ho capito benissimo, non sono una sciocca.

Ma mi fa orrore che si debba spiantare una pianta ancora robusta e generosa.

E a Dino non riesco a spiegare che quell'oliveto lassù l'ho piantato nel '46, quando lui era appena nato, alla fine di dicembre. Tirava un gran vento e io mi ero ripresa da poco. Quelle piante le spianterò se dovrò farlo, ma non voglio danaro indietro. Dino si dondola su una gamba, mi guarda sconsolato.

Non lo conoscessi, direi che sta pensando che sono una rimbambita, un'altra specie di vecchio olivo che spianterebbe volentieri in cambio di qualche centinaia di migliaia di lire.

II.

Sta arrivando l'avvocato. Mi telefona sempre di lunedì, dice di voler sapere come sto. Io sospetto invece, da anni, che la sua telefonata sia un espediente per farsi invitare a pranzo almeno una sera della settimana. Si comincia a chiacchierare, lui mi racconta che, benché si sia ritirato da tempo, ci sono certi suoi clienti affezionati... di Firenze... che potrebbero valersi di tanti luminari e invece hanno fiducia solo in lui, nei suoi consigli... finché può esser utile a qualcuno, perché no...

Dino, che va a fargli dei lavoretti in casa di tanto in tanto, dice che le cose stanno diversamente, che l'ossuto Ricorsi sta tutto il giorno rannicchiato sul letto con la "Settimana Enigmistica", oppure si rincorbellisce davanti alla televisione. E così finisce che lo invito, apro una bottiglia di vino e dico alla Santa, la moglie di Dino, di fare la torta di nocciole e il polpettone.

Vado in camera mia, a prepararmi per riceverlo. Soprattutto, prendo un fazzoletto dal cassettone e lo bagno con qualche goccia di colonia. Poi, quando arriva il povero Ricorsi, me lo tengo premuto sul naso come se avessi il raffreddore.

Ricorsi – che nome, poveretto, per un avvocato – fuma ininterrottamente ed è oramai impregnato di nicotina come un posacenere. Non sopporto quell'odore, così mi tengo il fazzoletto premuto sul naso. La nostra conversazione invariabilmente attacca così, con un ritmo da operetta:

"Mia cara contessa, non mi dica, ancora quel brutto raffreddore!".

"Passerà, avvocato, passerà presto."

"Ma mi permetta... lo dice tutte le volte... Si è fatta vedere da un medico?"

"Avvocato, si ricordi. Le tre 'esse'. Servitù, soldi, salute: ai miei tempi, voglio dire ai nostri tempi, era imperdonabile parlarne... Non lo dicevano anche a lei?"

L'avvocato si stringe nelle spalle.

"Non me lo ricordo. Forse no, contessa, a me non lo dicevano. Anzi, se devo essere sincero... in casa non si parlava d'altro che di soldi e salute. Di servitù no, perché quella non c'era. Lo sa, contessa, che i miei genitori erano contadini?"

"Di nuovo, avvocato?"

"Gliel'ho già detto? Ma lo sa che l'anno che sono nato io qui ci fu un'alluvione e io nacqui per strada, mentre i miei tentavano di rifugiarsi in montagna, non proprio per strada, diciamo così, ma in un ricovero di vacche, insomma, una specie di stalla sotto l'Amiata?"

"Eh, caro avvocato. Una nascita dal precedente illustre, mi pare..."

Ricorsi si lascia andare a una risatina gorgogliante.

Poi borbotta ancora un po', dice che di raffreddori e tossette se ne intende, perché di donne ne ha seppellite tre – lo conosco da cinquant'anni e so che non vuol fare del malaugurio. Ne ha davvero seppellite tre, la suocera, la moglie e la sorella, in poco tempo, ed è rimasto solo.

Per lui, puntiglioso e testardo com'è, questo è un successo; non gli andava affatto giù che le statistiche dicessero che le donne sono più longeve.

Adesso pensa di aver beffato la scienza statistica e la medicina in un colpo solo, dato che fuma due pacchetti al giorno. Forse ha ragione, forse le ha beffate entrambe. Ma con quale soddisfazione? Quella di essere rimasto solo come un cane, a girare con i bottoni mezzo staccati del gilet e varie macchie di sinistra origine sparse un po' dappertutto sui calzoni? Di elemosinare inviti a pranzo dai vicini, come fa con me?

Questa sera Ricorsi tossisce, starnuta, si è preso una bella infreddatura.

"Stia tranquillo, avvocato, il raffreddore è il malanno dei sani," gli dico, e lo vedo sorridere.

Gli offro un bicchiere di vino, lui se lo tracanna d'un fiato. Poi s'alza, indeciso se andarsene a casa o restare un altro po': ma non lo incoraggio; questa serata, anzi, vorrei terminarla qui.

"Sono invecchiato alla svelta, eh, contessa?" sussurra mentre si china a baciarmi la mano. "Non come lei, che è ancora come il giorno in cui l'ho conosciuta, appena arrivata qui. Stanca della città, si diceva in paese, si stancherà anche della campagna. Senza offesa, le ho mai detto cosa pensavo di lei? Troppo bella per vivere qui. Selvaggina di passo, che arriva all'improvviso e riparte senza una ragione, silenziosa com'è arrivata. E invece è rimasta. Sa come si dice, la vigna è una tigna... e lei invece si è incollata ai suoi filari di vite, conficcata come uno spaventapasseri."

"Lo sa, Ricorsi, cosa significa, etimologicamente, 'la Bandita'? È una parola antica, medioevale, di origine gotica. Bandire un bosco, un terreno, voleva dire dichiararlo precluso alla caccia. Ero selvaggina di passo, secondo lei? La Bandita allora era il posto giusto per me. Me l'ha cavato di bocca. Il posto giusto."

III.

Sono una sopravvissuta. Non penso alle due guerre, né all'influenza spagnola del '18 che in poche giornate si è portata via un bel numero delle nostre conoscenze, come la signorina Baravalle che ricamava le lenzuola per mia madre – me la ricordo secca secca, tutta china sopra un mucchio di lino gualcito – e il commesso di Ginori che veniva di giovedì a lavare i pendagli del lampadario. No, non alludo alla lotta silenziosa contro lo scandire del tempo, né a quel fastidioso senso di alienazione che mi dà l'esser nata all'inizio del secolo. Sono sopravvissuta semmai alla mia indole. A una irrequietezza dell'anima che mi ha fatto vagare dal giardino d'inverno di mia madre – dove mi accucciavo nascosta dietro il sofà, sedotta dal silenzio e dal profumo dei limoni che si respirava in quella stanza trascurata da tutti – fino alla camera di un albergo di quart'ordine, con le cortine abbassate, nuda e stretta fra le braccia di un uomo che conosco appena.

Quanti altri sopravvissuti ho intorno a me? Nessuno certamente qui, sulle colline di Siena, a una distanza ragionevole da casa mia; ma, fra tutti coloro che ho incontrato, ce ne sono alcuni che vorrei rivedere. Mi torna sempre in mente quell'anno a Parigi in rue Cambon, al 37, dove persi qualcosa che allora mi pareva non poi così prezioso. E se parlo di Trott, e dei suoi occhi – come potrei non parlare di quegli occhi, capaci di denudarmi il cuore, scacciandone la paura –, posso tralasciare Oddone e Carlino e l'Almerighi, morto a trent'anni di una risata, proprio così, una risata interminabile e gioiosa tra le braccia di Iris, che era davvero una donna spiritosa? L'orrendo Scauri direbbe:

"Un embolo, mia cara, un infarto, una fibrillazione di un cuore fragile come un cristallo," e naturalmente è così che è andata, ma a chi interessa, in fondo, *come* accade? Non è solo il *quando* accade, a interessarci?

"Ricordati che ci guardano. Dio lassù, i morti in paradiso

e gli angeli custodi che ci stanno alle spalle," ripeteva sempre mia madre. "Qualunque cosa tu faccia e dica, loro la vedono. Quando io sono distratta, ci pensa l'angelo. Non dorme mai. Sa tutto quello che fai."

"Ma allora è una schifosissima spia," commentò Enrico un pomeriggio. Lo disse a voce troppo alta, sentì anche mia madre. Miss Woodruff inarcò un sopracciglio e fu mandata a chiamare mio padre, che decidesse lui come andava punito.

"Sappi che l'angelo guardiano è l'ombra della luce di Dio," ribadì mia madre, dando un giro di chiave allo stanzino in cui lo stava chiudendo. "Senza quell'ombra, non sei nulla."

"Uscirai di lì quando avrai capito che non si parla a vanvera. E stasera non mangi," aggiunse irritato mio padre, che detestava essere interrotto nelle sue occupazioni.

L'ombra dell'angelo restò un concetto vago, imprendibile come una mosca che di continuo si posi sulla tovaglia. Tuttavia, l'idea che un'ombra invisibile ci accompagnasse ovunque non era priva di fascino. È così anche ora che ho smesso di credere agli angeli: alle mie spalle mi pare spesso di avere un gruppetto di persone, magari disposte a semicerchio, come in una fotografia di matrimonio.

C'è mia madre, naturalmente; mio padre; e mio fratello con quel lampo ironico negli occhi, sempre uguale all'ultima volta che l'ho visto, vestito da viaggio:

"Non ti commuovere, bellina, che se non torno dall'Africa diventi più ricca".

E so che lo diceva solo per non commuoversi anche lui, perché ci hanno tormentati per anni, da bambini: "In pubblico non si piange, ricordatevelo," e a furia di ripetercelo, manifestare le emozioni ci era diventato del tutto innaturale.

Mi dispiace di non aver pianto allora, quando Enrico mi abbracciò. Tirandomi a sé mi tenne premuta contro la sua spalla, e siccome il panno ruvido del pastrano mi grattava il viso, mi divincolai subito. Mi dispiace non esserci rimasta più a lungo, avvolta in quell'abbraccio scomodo.

Non l'ho mai più rivisto. Neanche un mese dopo era morto. E in casa non vidi lacrime, neanche allora. Le intuii. Sono sicura che mia madre inzuppava di lacrime il cuscino ogni notte. Come sono sicura che mio padre piangeva da solo nello studio, quando fingeva di star lì a riordinare le sue carte. Ma non c'è stato mai, in quei terribili giorni di gennaio, un momento in cui ci si sia ritrovati, noi tre, a guardarci negli occhi e a dirci quanto Enrico ci mancasse. Ci avevano tolto la naturalezza, come negli anni sessanta toglievano a tutti le tonsille.

E, naturalmente, alle mie spalle c'è lui. Il pensiero ritorna a Trott, ancora una volta. Mentre tutte le nostre conoscenze non hanno visto in lui che un signore elegante e di charme, con una voce sempre leggermente stanca, io ho visto altro.

Non aggiungo niente di più: qualunque parola risulterebbe riduttiva, perché, per quanto sciocco possa sembrare, in Trott io ho visto *tutto*.

IV.

Viburno è stato il regalo di nozze del mio padrino, uno dei cugini di mia madre. Un tipo leggendario, che si faceva ricamare i panciotti in Ungheria e amava, si dice, una contessa polacca piena di figlie, bellissima e seducente, anche se nessuno la vide mai. Enrico dubitava che esistesse:

"Credo proprio che se la sia inventata, così lo lasciano in pace e non tentano più di fargli sposare tutte le ragazze di Firenze," spiegava a Miss Woodruff e a me.

I soggiorni presso la famiglia di Firenze erano fonte di continue sorprese. Enrico e io arrivavamo stanchi dal viaggio per essere immediatamente trascinati a fare un giro di visite di casa in casa, a rivedere certi parenti di cui ci ricordavamo a malapena, zie alle quali dovevo fare la riverenza senza inciampare nel tappeto.

47

I nostri nonni materni non avevano "un giorno": ricevevano sempre. Mia nonna era elegantissima, in gran toilette, e il suo salotto traboccava di fiori e forestieri di passaggio dei quali non si sapeva la provenienza. Il cameriere di servizio alla porta restava impalato in anticamera, per suo ordine, anche diverse ore al giorno, all'uso ottocentesco, con il compito di annunciare gli ospiti. E faceva così anche con noi. Nessuno degli altri bambini che conoscevamo godeva di un simile trattamento. Nessuno aveva una nonna come la nostra.

Lei ci piaceva immensamente: attraversata l'anticamera, l'avremmo trovata lì, in salotto, tutta luccicante di gioielli, perfetta, e noi avremmo drizzato le spalle, per essere ammirati da lei nei nostri vestiti eleganti che mia madre ci aveva fatto indossare per l'occasione.

La socievolezza mondana di nostra nonna aveva anche altri vantaggi: ciotole piene di cioccolatini, biscotti, canditi e un cameriere che serviva anche a noi tè o bibite zuccherose, a seconda della stagione. La nonna non ci mandava via dal salotto, come avrebbe fatto mia madre, ma si divertiva a esibire i suoi nipoti savoiardi – ci chiamava così – che vivevano tanto lontano. A volte ci chiamava anche "i miei *bristù*". Una parola esotica, una di quelle – tante – di cui non capivamo il significato, dato che la nonna adoperava una lingua sua, un pasticcio di francese, inglese e fiorentino, su cui galleggiavano – sconsolati come i relitti di un naufragio – brandelli di italiano, sopravvissuti chissà come in quel bailamme. A me e a Enrico piaceva molto essere dei *savoiardi* e dei *bristù*. Non ci sfiorava nemmeno il pensiero che dicendo "*brise-tout*" la nonna intendesse dire impiastri, o rompiscatole.

A ogni modo, quasi subito lei e i suoi ospiti si dimenticavano di noi e ci lasciavano in pace. A quell'epoca non era considerato elegante occuparsi di bambini, e tanto meno farne oggetto di conversazione salottiera: dei bambini s'interessavano le governanti. Enrico e io restavamo allora anche tutto il pomeriggio a osservare il viavai di signore chic, vestite in maniera molto più frivola delle amiche di nostra madre, più colorate, più ridanciane. Capivamo confusamente che a Firenze si viveva in maniera diversa e che, una volta uscita da Torino, anche lei sembrava una donna differente. Chissà, forse era per questo che nostro padre a Firenze non veniva quasi mai.

Grazie a quella mia confusa percezione della stravaganza dei familiari fiorentini non mi stupii troppo quando, come regalo di matrimonio, ricevetti dal mio padrino un cavallo Camargue con un fiocco rosso, anziché un gioiello come usava. La gioia che ne ebbi mi confermava, ancora una volta, che da parte della famiglia di mia madre le sorprese piacevoli avrebbero sempre superato quelle sgradevoli.

Viburno non era meno leggendario del cugino di mia madre e della sua amante polacca: aveva un movimento potente e sciolto, soprattutto nelle curve strette. Alzava il piede molto alto, più di quanto non facciano di solito i Camargue, ed era un fulmine se lo si lanciava al galoppo. Certo, aveva una testa piuttosto grossa, ma il dorso corto, forte, e il petto ampio e compatto gli davano una grazia particolare.

Villaforesta lo considerava rozzo, inadatto a una donna, e troppo impetuoso.

"Un cavallo come regalo di nozze, che assurdità. I tuoi cugini fiorentini hanno questo gusto inopportuno del *beau geste*."

Intendeva: "Perché non un bracciale, una pietra di famiglia?".

Si capisce, pensavo, Villaforesta non perde occasione di sottolineare che da casa mia ho avuto ben pochi gioielli: mia madre non si separa dai suoi, e mio padre ha destinato ogni cosa a Enrico.

Il disprezzo di Francesco verso i miei esotici parenti fiorentini s'estendeva alle mie bestie: quando si parlava di Viburno, lo sentivo sostenere, con testarda convinzione, che le erbe stentate e i miasmi del delta del Rodano lo avevano irrimediabilmente guastato. Ma, pur non amandolo, non osò fare a Viburno ciò che, di lì a poco, avrebbe fatto con Peak.

Peak era un baio irlandese, un mezzosangue. Aveva un'andatura imperfetta ma, come succede con un cavallo ben addestrato, intuiva la direzione. Ci capivamo al volo.

Era un cavallo nervoso, si spaventava per nulla, ma quando sentiva che volevo correre si dava con generosità, si sfiancava, per amor mio.

Villaforesta lo detestava, diceva che Peak era pericoloso, scartava troppo di frequente:

"Ti romperai l'osso del collo su quella bestia. Non lo governi, e quel diavolo l'ha capito. Solo uno dei due comanda, tra cavalcatura e cavaliere. Il tuo cavallo lo sa: non sei tu quella che guida".

"Sciocchezze," rispondevo seccata. "Lascia che sia io a occuparmi dei miei cavalli. Tu occupati dei tuoi."

Quando Peak, che aveva terrore dei tuoni, nitriva di paura, Villaforesta s'infuriava perché, diceva, così innervosiva gli altri cavalli.

Sosteneva che era colpa mia, che ne avevo fatto un vigliacco, a furia di restare con lui nel box durante i temporali; diceva che le parole che gli sussurravo dolcemente all'orecchio, e le carezze, gli avevano rovinato il carattere.

Senza preavviso, mio marito un giorno tornò a casa a colazione con un tale, allampanato e sorridente.

"Un medico di Cuneo, con la passione dei cavalli," disse di sé il giovanotto, presentandosi. Io restai rigida, senza parole. Avevo capito al volo. Non protestai che con lo sguardo e, anche lì, debolmente: non lottai per difendere Peak, non dissi niente, e lasciai che Villaforesta calpestasse il mio amore per quel cavallo, che se ne sbarazzasse allontanandomene per sempre.

Se mi fossi messa a piangere o a supplicare, se avessi sbattuto a terra una porcellana o avessi spazzato via le fotografie in cornice dal ripiano del tavolino, certamente non avrebbe insistito. Villaforesta aveva orrore degli strepiti da mercato. Ma io restai silenziosa; mi ero arresa, apparentemente. Che mio marito facesse un po' quel che gli pareva, di me, dei miei affetti, del mio cavallo. Mi rifiutavo di fornire spiegazioni, non sarebbe servito: davvero mio marito non aveva ancora capito quanto fossi affezionata a Peak? O non gliene importava nulla? Riuscii perfino a sorridere; ma dentro mi montava una rabbia cieca, assoluta, incontenibile.

In quella mezz'ora si concluse qualcos'altro, oltre alla vendita di Peak. Prese forma una determinazione, e l'immagine di Villaforesta mi fu nitida come mai l'avevo vista.

V.

La voce di mio cugino Oddone è bassa di tono e molto carezzevole. Fuori sta nevicando, come sempre a febbraio. Nevica piano, a fiocchi grandi, che ondeggiano appena perché non c'è vento.

"Devi andartene, mia cara. Lascia la città. Non buttarti via così. La tua è diventata una situazione intollerabilmente umiliante."

Da due mesi mio marito ha un'amica. Lo sa tutta Torino. Una donna con un passato, dice mio padre, che non riesce a pronunciare davanti a me la parola "puttana".

"Sarà una di quelle donnine allegre tutte dipinte, che girano sempre attorno agli uomini," minimizza mia madre, e socchiude un po' gli occhi. "Benché, naturalmente, sia piuttosto *sgradevole* per tutti noi."

Francesco è andato più in là di quanto imminino i miei familiari. Non si è limitato a prendere in affitto una garçonnière, ha comprato un piccolo appartamento dietro la chiesa della Gran Madre. Per arredarlo si è servito in casa; non ho raccontato a nessuno l'umiliazione di veder entrare una mattina due uomini di fatica, che senza tante cerimonie hanno

51

portato via il sofà di velluto turchese, due grandi lampade di ottone, la poltrona di cuoio rosso dello studio e un baule di vestiti di Francesco.

"L'ha addobbata con i tuoi gioielli," mi dice Oddone. "E le ha messo in mano una coppa di champagne. Le ha detto di tenerla sempre così, piena a metà, mattino e sera."

"I gioielli sono i suoi," rispondo con un filo di voce.

Oddone non mi dà tregua e mi racconta che la puttana indossa vestiti simili ai miei, Francesco ha preteso che andasse dalla mia stessa sarta.

"Ed è incantevole, mia cara, non puoi credere quanto sembrino diversi quegli abiti. Quello che indossato da te è raffinato, su di lei è provocante."

Mi alzo dalla poltrona e mi avvicino alla finestra. La neve che cade mi fa venire in mente un foglio di carta che strappiamo in minuscoli pezzetti, una lettera che vogliamo distruggere e dimenticare. Anch'io vorrei dimenticare. Questo, Oddone non lo capisce. La sua sollecitudine mi irrita. S'alza anche lui, e mi viene accanto. Non mi volto, ma sento l'odore della sua acqua di colonia e mi dà fastidio. Sono pronta, dopo tutti questi anni, ad affrontare uno scandalo. Le scorrettezze di Villaforesta mi hanno dato la forza di cui avevo bisogno.

Credo che lascerò Torino per qualche mese, forse per qualche anno. Non ho ancora deciso se ritirarmi in Toscana, o no. Francesco ha creduto di tenermi legata a sé con la durezza, come se farmi del male equivalesse, in qualche maniera tortuosa, ad avermi. Non è così. Le sue cattiverie mi scivolano addosso, senza quasi sfiorarmi. Io sono già lontana, anche fisicamente. Andrò ad abitare da sola, in un appartamentino in affitto. Oppure mi trasferirò a San Biagio. È casa mia. Mia. Né di Francesco, né di mio padre.

Gli amici comuni si scandalizzeranno. I miei genitori, ne sono sicura, verranno in pellegrinaggio a scongiurarmi di metter fine a questa commedia, di perdonare quelle che loro definiscono "le debolezze" di Francesco. Di restare al mio posto *senza fare schiamazzi*. "Noi," dice sempre mia madre, "non siamo di quelli che danno spettacolo."

Accompagno Oddone alla porta. Mettendosi il cappello mi sorride, poi annuncia:

"La settimana scorsa Francesco ha dato un pranzo alla foresteria del Club. Ci sono andato. Jole faceva gli onori di casa. Come se fossi stata tu. Ti rendi conto? Quanto ancora hai intenzione di sopportare?".

Mi rendo conto. Francesco non perde occasione di umiliarmi. Dev'essergli sembrata spassosa, l'idea di prendere una puttana di bordello da sistemare in salotto al posto mio.

Uno *spettacolo*, direbbe mia madre, che orrore, ha fatto uno *spettacolo*.

VI.

Com'è ormai consuetudine, tutte le mattine mi faccio svegliare all'alba e vado a montare a cavallo a Pecetto, a casa di Oddone.

I Calandra sono i padroni della Falconaia. Un antenato, un botanico dilettante – che, come molti figli cadetti di fine Settecento, in un'epoca anticlericale non si sognava più di vestire l'abito talare –, aveva deciso di impiantare un vivaio modello di piante di faggio e adesso posseggono la faggeta più bella di tutto il Piemonte. Non si sa se come vivaista l'antenato ebbe successo; non vide mai, questo invece si sa, i suoi esemplari adulti perché morì d'influenza e mancanza d'antibiotici pochi anni dopo; ma quel guizzo eccentrico valse ai suoi discendenti un parco che oggi fa meraviglia. Un pizzico di quella vocazione botanica si è tramandata fino a Oddone, l'ultimo dei Calandra, e ne ha fatto un giardiniere entusiasta. Passa ore in giardino armato di forbici e stivali al ginocchio a potare, legare, seminare, fare talee. Le rose sono la sua grande passione. Dietro l'orto ha una piccola collezione di rose francesi che in primavera sono un trionfo di profumi e colori incantevoli. Estate e inverno, appena posso, vengo quassù. Oddone non è soltanto un amico d'infanzia e un lontano cugino, è qualcuno che avrà sempre cura di me. Lo so fin da piccola; quando eravamo ragazzi, Enrico e io eravamo i suoi idoli. Era stato un bambino gracile e la sua governante lo trattava come fosse di cristallo. Non poteva correre, né arrampicarsi sugli alberi, non poteva leggere la sera per non stancarsi la debole vista da miope, era costretto a stare tappato in casa se pioveva, se nevicava, se tirava vento, se la temperatura scendeva troppo. Noi eravamo molto più liberi. Una buona parte della nostra libertà era conseguenza diretta dell'essere allevati da una nanny inglese. Per Miss Woodruff non c'era modo migliore di iniziare la giornata di una doccia fredda e, d'inverno come d'estate, ci obbligava a dormire con la finestra aperta. Si doveva fare una vita sportiva, con qualunque tempo; ed era indispensabile saper praticare correttamente tutti gli sport, dall'equitazione allo sci, dal nuoto al tennis, alla caccia. Il nostro guardiacaccia, su indicazione di Miss Woodruff, insegnò a sparare con il fucile da caccia a me e a Enrico quando avevamo undici anni e a dodici mio fratello prese il suo primo fagiano. Papà lo fece impagliare ed è ancora oggi nel suo studio. Per Oddone questi erano passatempi proibiti. Sua madre, zia Camilla, era una donna bella e stupida, che non voleva scocciature; questo era il senso dell'educazione impartita al suo unico figlio, nato sottopeso dopo otto mesi di gravidanza: *pas de problèmes*. Con quella crudeltà inconsapevole delle madri apprensive, a Oddone non veniva risparmiato alcun resoconto delle nostre prodezze, forse nel tentativo di illuminare di luce incerta la nostra perigliosa educazione; ma l'effetto ottenuto era quello contrario, motivo per il quale Oddone s'incupiva ogni giorno di più e a tredici anni era diventato un ragazzino triste e solitario. Viveva di sogni e delle poche attività che gli erano consentite e che non lo tediassero terribilmente. A dodici anni, il suo primo successo, al quale ne seguirono negli anni molti altri, era stato di moltiplicare per talea una rosa rampicante. Gradatamente, trasformò il parco austero ereditato dal padre in un giardino pieno di fascino. Collezionava le piante con zelo di botanico, ma le mescolava in accostamenti fantasiosi con amore di giardiniere ed estro di artista.

Appena posso, vengo quassù. È un patto segreto che abbiamo Oddone e io, di non porci l'un l'altra domande a cui non desidereremmo rispondere. Io non gli domando dove va certe sere d'inverno, intabarrato in un mantello scuro, e perché ogni tanto nei suoi occhi appaia un velo di malinconia; e lui non chiede a me cosa mi spinge a venire fin quassù, solo per sgusciare nella scuderia e montare a cavallo, salendo verso le colline che da qui vanno lunghe e lontane verso non si sa dove; e io mi infilo per i viali, montando un palomino nervoso con una gran bella testa e dimentico Francesco e le piccinerie, non penso più a nulla e Torino diventa solo una macchia lontana, una nebbia sulle rive del Po come gli sbuffi di fiato nell'aria fredda. Ho dovuto vendere i miei cavalli, senza l'aiuto di Villaforesta non potevo mantenerli. Le mie rendite sono investite fino all'ultimo centesimo nella tenuta in Toscana che ho ereditato alla morte di mio fratello. Quando, prima che me ne andassi di casa, qui iniziava il lungo inverno piemontese, con i suoi geli e le nebbie, e Francesco si faceva ogni giorno più crudele, io mi tenevo nell'anima il pensiero costante della Bandita, delle colline fitte di boschi, della fattoria con la corte chiusa e quegli orizzonti rosa, gialli, azzurrini.

Non credevo che l'avrei amata tanto, quella campagna toscana che mio padre aveva vinto al gioco una sera al Club. Francesco avrebbe voluto che la vendessi. Anche mia madre, anni addietro, aveva desiderato che mio padre se ne sbarazzasse.

Ma lui, che si vergognava d'aver vinto a un amico una tenuta intera, l'aveva immediatamente intestata a Enrico. "Non è più mia, Elena, non posso venderla. È del ragazzo. La venderà lui, se ci tiene."

E mia madre stringeva le labbra fino a farle diventare pallide per la stizza, ma taceva. Poi, a mezza voce, invariabilmente sussurrava:

"*Je n'aime pas cette histoire.* Il povero Roburent ci ha rimesso una tenuta e non è neanche Cavour. Non passerà alla storia come un grande statista col debole del gioco, ma come un povero diavolo che ha rovinato i figli. E tu sei l'artefice di questa rovina".

Mio padre non rispondeva.

Nelle parole di mia madre era nascosta, implicita, una minaccia. Quell'accenno in apparenza casuale alla Storia che Giudica e alla Discendenza in Miseria evocava in mio padre immagini bibliche di castighi, orrori, flagelli.

Si perdeva con lo sguardo nel vuoto. Cos'altro avrebbe potuto fare? Restituirla? Impensabile, per Roburent sarebbe stata un'offesa grave. I debiti di gioco si pagano a qualunque costo, ne va dell'onore di un gentiluomo. Rigiocarsela? Ma per farla finire in mani altrui, tanto valeva tenersela. E, quanto a rimetterla come posta per farla vincere a Roburent, bisognava che il poveretto tornasse a sedersi a un tavolo di gioco, cosa che da allora non aveva mai più fatto.

Mio padre aveva infine giudicato opportuno uscire dall'impasse regalandola a Enrico; che aveva allora sedici anni, forse meno. E non gli importava nulla di avercela o non avercela, una tenuta nel Senese: gli sembrava una terra lontana, barbara, come a lui pareva che fosse qualunque altra destinazione a tante ore di viaggio da Torino e dai suoi divertimenti di città.

Alla morte di Enrico ereditai la Bandita, e diventai più ricca di quanto fossi mai stata. Da mio marito non avevo avuto mai nulla, tanto le case che i gioielli mi erano stati dati in uso e nient'altro; quanto alla mia dote, una bella sommetta in azioni, mio padre l'aveva consegnata a Francesco, e lì s'era perduta. Chissà. In casa non se ne parlò più, come se i Villaforesta m'avessero trovata per strada, con in mano il cesto dei garofani per l'occhiello del frac, come capita in teatro a quella fioraia del Covent Garden. Ed ecco che da mio fratello arrivava una tenuta di trecento ettari tutta per me.

Con la sciagura di Enrico, mi sembrò che il flagello biblico della disperazione si fosse infine abbattuto su di noi. Per lungo tempo fui piena di un furore sordo, come capita ai bambini. Avevo la confusa percezione che esistesse un legame sordido tra la morte di mio fratello e quella proprietà in Toscana di cui mia madre parlava sempre con un gemito. Come se Enrico avesse, non so, desiderato di morire per lasciarmi la Bandita; assurdo, certo. Ma non meno assurdo, se mi volto indietro, è accorgersi che mio fratello, cresciuto in un'epoca stretta fra due guerre e falcidiata dall'influenza spagnola, sia andato a cercarsi una morte lontana, nel cuore dell'Africa, grazie al difetto di fabbricazione di una cartuccia da caccia.

In ogni modo, quando mi calmai, e mi rassegnai alla sua morte, decisi che mi sarei disfatta della tenuta, restituendola ai legittimi proprietari, con o senza il consenso di mio padre. Poi andai a vedere di persona cosa avessi ereditato e decisi invece che, per quanta disperazione fosse mescolata a quell'eredità, per ingiusta – ma non illegittima – che fosse la sua remota provenienza, e nonostante i dissapori che aveva generato tra i miei genitori, non me ne sarei privata. La casa di San Biagio cascava a pezzi. I Roburent non se n'erano mai occupati. Avevano proprietà in quella piana di terra grassa che si chiama il Rognone del Piemonte, dove i raccolti vengono su, si dice, quasi da soli. Non avevano tempo e soldi da buttar via dietro a una terra scoscesa e strappata al bosco, dove, se frana un pozzo, d'estate non c'è una goccia d'acqua per irrigare e dove la roccia frantuma gli arnesi. Quella tenuta gli costava un occhio della testa. Ado, il vecchio fattore, metteva secchi e catini in giro per casa dove le tegole spostate dal vento facevano piovere durante l'inverno e curava un piccolo orto e un po' di vigna. Tagliava il bosco, ma faticava a star dietro all'oliveto. Ci volevano soldi, braccia, determinazione. E ci voleva tempo. Arrivai lì e mi resi conto che avevo la determinazione e tutto il tempo necessario, e che con un po' di fortuna avrei potuto recuperare dei soldi per pagare qualche operaio disposto a rimetterla in sesto. Prima la casa, poi la terra. E poi, chissà, magari anche un giardino.

Tornata a Torino, chiesi un colloquio con mio padre. Mi guardò sorpreso, con un'ombra di disappunto negli occhi, ma m'invitò nel suo studio. Con un cenno della mano mi fece sedere davanti alla scrivania, come faceva con il suo amministratore. Di Villaforesta non dissi nulla, né lui ne parlò. Gli domandai solo la mia parte.

"Hai già avuto la tua parte, mia cara bambina. L'abbiamo data a Francesco, quando ti sei sposata."

"Non quella. La parte di Enrico. Ha lasciato tutto a me. È quella la parte che voglio."

Lo vidi chinare la testa, in un gesto che non so dire se fosse di sconfitta, dolore o commozione. Restò in silenzio, reggendosi il mento fra le mani, con lo sguardo spento che aveva da tempo.

Qualche giorno dopo firmai delle carte, per rivendere a lui e a mia madre quello che loro avevano intestato in vita a Enrico e che Enrico, da quel tipo che era, aveva inteso lasciare a me. *Non ti commuovere, che se non torno diventi più ricca.* Aveva detto così. Quella sera andai a dormire con una certezza nel cuore: sapevo di avere un posto *mio*. Sapevo che, ogni volta che lo avessi desiderato, o quando la vita coniugale e i suoi strascichi sociali mi fossero divenuti insopportabili, avrei avuto un luogo dove andare.

3.

UNA VITA SOTTILE

I.

Ho radunato tutte le mie carte. Ho guardato il calendario, ho pensato a una data possibile. Prima di decidermi a telefonare, mi sono chiesta cento volte se davvero avessi desiderio di riportare qui alla Bandita tutta quella gente. E poi, perché solo quegli amici, fra le tante persone che ho conosciuto in vita mia, perché solo quello sparuto gruppetto che venne qui quell'estate di tanti anni fa? Ogni tanto le decisioni bisogna prenderle e lasciare che accada quel che deve accadere.

Ho telefonato a Nina. Ho fatto squillare a lungo l'apparecchio, e fra uno squillo e l'altro mi chiedevo se non avessi più paura di trovarla che di non trovarla. Alla fine, quando stavo quasi per rinunciare, ha risposto.

Nina ha ancora la stessa voce, è stata la prima cosa che ho pensato, e gliel'ho detto.

"È naturale, la voce si deteriora meno rapidamente del resto," mi ha risposto lei secca.

Chi stava accanto a Nina s'accorgeva subito che quella ragazza scontrosa radunava diversi talenti. Era brillante, acuta, molto divertente; e bella, perfino nei dettagli minuti: la forma allungata delle dita, la luminosità della carnagione e degli occhi, il tono di voce.

La conobbi a Firenze, in casa di Iris e Carlino, la sera in cui morì quel poveretto di Almerighi, in quella maniera assurda e ridicola, tra le braccia di Iris. Eravamo seduti in salotto, dopo teatro. Nina era arrivata nel pomeriggio, da Roma se ben ricordo, ed era diretta a Milano. Si fermava qui e là, dove capitava, dove aveva amici o dove c'era un pranzo, una colazione; diceva che viaggiare era un piacere, che non andava avvilito con uno scopo: e lei viaggiava tutto il tempo, in Italia e fuori, dovunque ci fosse la possibilità di andare.

Quella sera Iris era sublime: perfettamente padrona di sé, ci faceva ridere alle lacrime con certe storielle assurde e succose che aveva, credo, inventato o arricchito lì per lì. Almerighi, che era un bell'uomo, le stava seduto accanto e le porgeva la battuta: facevano del cabaret. Quando, dopo l'ultimo scoppio di risa, e il più sonoro, Almerighi si piega sulla spalla di Iris, che sta ridendo ancora, nessuno di noi capisce; tanto più che Almerighi emette curiosi suoni soffocati, che non abbiamo mai sentito prima; chissà, magari è un'altra delle sue imitazioni. Ricordo perfettamente la sua bottoniera, la fila di acquemarine montate in oro, forse perché il colore e la forma di quei bottoni mi fanno pensare agli occhi vitrei del pesce.

Iris solleva un braccio, per allontanarlo da sé; Almerighi le sta cadendo addosso, ma nessuno di noi se n'è ancora accorto.

Poi Iris grida, e finalmente ammutoliamo tutti: Almerighi è crollato a terra in avanti, in una posizione sgradevolmente innaturale. Colpa dell'amido, la sua camicia è stata stirata ad arte, e lo sparato è così rigido da non piegarsi nemmeno sotto il peso di un torace grosso quanto il suo. Il poveretto è atrocemente buffo, accasciato così.

Iris non smette di gridare, e spalanca gli occhi in una smorfia di orrore. Carlino tenta di allentare il nodo alla cravatta di Almerighi, grida al cameriere di correre a cercare un dottore; io sono immobile per la sorpresa e perché non so che fare.

"Sarà stato un infarto," commenta Nina, "è una cosa che succede."

E mentre tutti cercano di fare qualcosa per lui – inutilmente, perché si capisce al volo che è morto –, Nina sguscia via dal salotto senza voltarsi, sale in camera a chiudere la valigia e se ne va.

L'ho odiata, per questo. Ma allora era prima della guerra, quando ancora la vigliaccheria mi offendeva. Da quella sera, per molto tempo, la presenza di Nina mi infastidì. Cercavo di evitare ogni possibile incontro; ma sentivo sempre qualcuno che sussurrava qualcosa di lei:

"È ricchissima. Le avevano confiscato tutti i beni ma è riuscita con le sue sole forze a ricostruirsi un patrimonio, non si sa come abbia fatto...".

"Nina? Come dicono i francesi... *elle est grande dans son genre, mais son genre est petit.*"

Nina invece aveva deciso che dovevamo diventare amiche. Capitava in casa mia, senza preavviso, senza nemmeno scusarsi; anzi, si comportava come se fossi io a doverle dimostrare gratitudine perché aveva scelto di trascorrere qualche ora con me a San Biagio, raccontandomi della vita effervescente che faceva. Più di una volta, con un sospiro di commiserazione, mi chiedeva:

"Ma come fai a vivere qui? Questo è un confino, un castigo, una prigione a cui ti sei condannata da sola. Trasloca in città. Non devi per forza tornare a Torino, puoi andare a Firenze, a Milano, a Roma. Posso introdurti in qualunque salotto d'Italia, sei bella, parli le lingue, hai uso di mondo... In campagna sei sprecata".

Sulle prime questa disinvolta mancanza di discrezione mi irritava moltissimo. Poi, a poco a poco, cominciai a trovare la compagnia di Nina rinfrescante; passare due ore con lei era concedersi un fine settimana in una località straniera, quando si ammira tutto quello che è bello o che funziona e non ci s'incollerisce per la scortesia dei passanti, il ritardo dei treni, la sciatteria delle strade: tanto, non ci appartiene.

Finimmo con il diventare amiche; dimenticai, o volli dimenticare, come fosse sgusciata via quella sera, come un ladruncolo di strada. I miei inconsapevoli desideri di fuga si nutrivano dei suoi racconti, e mi divertiva vederla arrivare, ripartire, tornare. Guidava una piccola automobile blu, con i cerchioni luccicanti e i sedili scuri. Aveva fatto incidere una placca d'argento, grande come un pacchetto di sigarette, e l'aveva fatta avvitare sulla carrozzeria lucida, immediatamente sopra la targa.

Sopra c'era scritto: *Eat my dust.*

Non credevo che sarebbe stato così facile rintracciarla, dopo tanti anni. Invece è stata sufficiente una chiamata alle informazioni per ottenere il suo numero di telefono e sentirne, dopo tanto tempo, la voce leggermente roca e spigolosa.

"Vieni... verresti... pensavo di invitare... diciamo radunare... amici che non vedo più da anni... I più cari, i più stretti... magari per un tè... oppure un pranzo... Posso darvi da dormire... qui da me... alla Bandita... come allora..."

"Ma sono passati tanti anni," mi dice Nina, e s'informa: "Ne sei sicura? Siamo tutti dei vecchiacci. Ci sta che qualcuno sia anche più scemo di allora... che idea... Insomma, che vuoi rivangare? Quel tempo non torna, se non malinconico. Sai che delusione...".

"Una delusione? E perché? Ho voglia di rivedervi tutti. Hai idea di che fine abbia fatto Iris? E Carlino? E..."

Lascio per ultima la domanda che mi brucia sulle labbra, e poi la faccio d'un fiato.

"E Trott... Hai notizie di Trott?"

Nessun modo per tornare indietro.

Ora, in rapida successione, un ventaglio di risposte possibili mi gela il cuore. È morto. Malato. Non ha più memoria di niente. Non esiste più nulla, nemmeno il suo passo o il suono della sua voce, e il suo sguardo si è fatto appannato, irriconoscibile. Ma le chiedo lo stesso, capricciosa come una bambina: "Puoi rintracciarlo per me? Sei l'unica che può farlo, tu troveresti chiunque. Fagli sapere che lo aspetto, con tutti voi. Come quando passammo insieme quel fine settimana alla Bandita. Nel giugno del '46... era il '46, no?".

Nina fa qualcosa che sembra un sospiro di sorpresa o di rassegnazione.

"Sì, certo, qualcuno di loro posso rintracciarlo. Anche lui. Se vuoi. Penso di riuscire a portarlo qui. Se *davvero* lo vuoi."

Ecco, quest'idea mi è appena balenata e già mi fa star male. Sento un batticuore che mi affatica. Non tutti i ricordi sono così feroci. Tutto quello che vedo, un cortile vuoto, un cancello semichiuso, le ombre del primo pomeriggio, è qui solo per me. Ognuno di noi ha un pomeriggio come il mio nascosto nella memoria. Non sbatte una finestra, non casca a terra un nido, o un frutto, nessuno mi chiama. Io guardo, semplicemente, e quello che vedo appartiene soltanto a me. Da allora è accaduto di tutto, nel mondo, nella mia famiglia, nella mia casa. Ovunque io giri lo sguardo. E basta un qualunque notiziario della sera a dimostrarlo. Ma il flusso di quelle emozioni, regolare come un respiro, non è ancora cessato. Ecco cosa mi spinge a cercare di rivederlo, dopo tutti questi anni: non solo uno struggente desiderio d'incontrarlo, e parlargli – a un sentimento simile sono stata capace di resistere a lungo –, si tratta piuttosto dell'improrogabile necessità di fare, per una volta, qualcosa che non ho mai fatto in vita mia: calare tutte insieme, con coraggio, le carte che ho in mano. Di cosa mi preoccupo.

Nina, in fondo, ha accettato l'invito.

Di cosa mi preoccupo.

È stato tutto piuttosto semplice. Ora mi basta fissare una data, combinare con la Santa un menu semplice che non ci dia l'insonnia...

Nina mi dà il suo indirizzo. Mi avverte, però: deve portarsi dietro suo nipote Fabrizio, che le fa da cavaliere, da autista, da compagnia.

"Ma soprattutto è laureato in medicina e fa il medico a Frascati. È un bellissimo ragazzo, assomiglia a Gary Cooper fatto e finito, lo dicono tutti, proprio tutti, e anzi sto pensando di adottarlo, tanto figli non ne ho e il Guido Reni se no a chi va?"

Riattacco.

Sorrido.

Non mi stupirei se Nina si presentasse ancora biondo platino. Questa storia del Guido Reni la racconta da cinquant'anni e quella tela nessuno l'ha mai vista.

Le conosco bene, sono le mitologie di famiglia.

Mia madre lo chiamava *wishful thinking*. Colpa delle disinvolte attribuzioni ottocentesche? Ottimismi scaturiti quando, prima dell'invenzione della televisione, le sere erano tutte uguali, come le chiacchiere familiari, e fra un ricamo a mezzo punto e un rammendo invisibile, la storia di famiglia s'arricchiva di personaggi leggendari, come il bisnonno, l'astronomo dilettante che scoprì una stella e la chiamò Aspasia, senza sapere che era il nome di una concubina greca? Forse che le nostre nonne e bisnonne non sono state tutte delle gran bellezze? Ma caste, per carità, come le martiri latine, *o quasi*, poiché di tanto in tanto la virtù tocca di infrangerla per necessità...

Ne ho sentite tante anch'io. La Granmammà sembrava torturasse un autentico Stradivari, mia zia aveva a capoletto una Madonna del Sassoferrato, in casa Villaforesta le sovrapporte erano cestoni e frutta sicuramente di mano del giovane Bruegel: una generazione intera allevata fra tesori d'arte inestimabili che, quando spinta dalle pressanti e terribilmente noiose necessità del quotidiano, vuol vendere chiamando un antiquario – *amico* –, quello, non si sa com'è, si schermisce, tossisce, tergiversa un po' e si fa versare dell'altro tè al limone e, finalmente, sbotta come un petardo di Capodanno:

"Il valore affettivo è grande, sarebbe meglio non vendere, anche perché il valore commerciale è... praticamente... nullo".

"Ma come, il Sassoferrato... È un po' stucchevole, d'accordo, ma sarà pure..."

"Il Sassoferrato, stucchevole o no, vale parecchio, ma la sua tela, non si offenda, è una copia... una brutta copia... ottocentesca, a essere generosi... Scusi, ma... non era proprio una sua prozia quella... pittrice dilettante?... Non se la prenda... non mi fraintenda, per carità, ma... non potrebbe essersela dipinta lei, la zia, una Madonna per capoletto?"

E così sono ansiosa di vedere il medico che assomiglia a Gary Cooper e che erediterà il Guido Reni: sono vecchia, ma il mondo è rimasto un luogo pieno di meraviglie.

II.

Se osserva la propria vita a ritroso, ognuno di noi è in grado di valutare il peso di alcuni momenti che, per lo più, si sono annunciati in sordina – mattine annoiate, o serate che sarebbero dovute essere uguali a tante altre e che invece, inopinatamente, sono state dei punti di svolta. Guardo fuori dalla finestra e vedo gli operai chiamati da Dino che lavorano gli olivi, tagliando e potando i rami più grossi per sfoltire la chioma. Ho ceduto, spiantiamo una parte di oliveto. Poi arriverà lo scavatore che zollerà le piante da trasportare altrove, così Dino pianterà altra vigna, come desiderava. Ha il gusto del vino, lui, e il talento necessario a produrlo. Quando esce un articolo particolarmente positivo sulla fattoria, in cui si lodano le caratteristiche del Lunediante o del Rossovermiglio, la Santa corre trafelata a portarglielo, felice come una ragazzina, e parla, s'infervora, mentre lui resta zitto e guarda lontano. Gli s'increspa la fronte e negli occhi gli indovino nuovi progetti, e so che non dimentica, lui, com'è che abbiamo creato un'azienda che produce ottimi vini. Quando sono venuta a San Biagio non c'era niente, solo una fattoria in disarmo; poi è venuta la guerra a ridisegnare i nostri orizzonti, spazzando via il mondo che conoscevo; e bisognava inventarsene un altro. Ma a Dino ho taciuto che il vero punto di svolta stava nascosto da un'altra parte, più lontano nel tempo, apparentemente una semplice porta girevole che tiene fuori l'umidità della notte invernale, in realtà un meccanismo complesso che incerniera casualmente, e per sempre, due mondi diversi e distanti. È una sera di febbraio del 1939. Sono andata a teatro, con Oddone che mi fa da cavaliere, invitata dai Santafiore.

La contessa di Santafiore, un'instancabile e appassionata amante del buon teatro, ci trascina sempre tutti nel suo palco.

Poiché il fallimento del mio matrimonio ha accentuato una timidezza scontrosa della quale non mi sono mai liberata, non sempre vi sono andata volentieri. Quella sera, comunque, nell'intervallo scendiamo al ristorante del Cambio, come si fa di solito.

Ma questa volta la Sala ottagonale, quella che la contessa si fa riservare d'abitudine, è già presa.

La mia amica ha un moto di stizza, che mortifica il maître; e per un po' restiamo lì, in piedi, incerti sul da farsi, nelle nostre toilette da gran sera così ridicole nell'atrio di un ristorante. Poi la contessa si decide: che ci mandino nel suo palco dei canapè, del vino, come aperitivo; pranzeremo più tardi, da lei, a spettacolo finito. Ordina al maître un pranzo per quattro e lo fa mandare a casa. Tutti questi preparativi prendono del tempo e io mi stringo nel mantello di raso che non tiene per nulla caldo, e rabbrividisco; mi spazientisco, anche, davanti ai capricci della mia amica, sono a disagio.

Oddone si sforza di alleggerire l'atmosfera, fa battute di spirito e si agita, cammina avanti e indietro e pronostica che stanotte nevicherà perché l'aria – dice – odora di neve. Mi giro a guardare verso la porta di vetro che dà sul palazzo Carignano per scrutare il cielo e capire se Oddone ha ragione o vaneggia. Ma non vedo neanche un accenno di nevischio. Sta entrando invece una combriccola di persone; intravedo nella porta girevole mantelli scuri e sciarpe bianche. Non vi presto attenzione; non sono visi noti. Almeno così mi pare, a un primo sguardo; mi volto, invece, a guardare la mia amica, se finalmente ha risolto il suo problema col maître; Oddone mi porge una coppa di champagne e riesco, miracolosamente, a non rovesciarne neanche una goccia, mentre sento alle mie spalle la *sua* voce.

"Come sono felice di vederti. *Questa* è davvero una sorpresa."

Trott è a Torino di passaggio, per affari. Sono trascorsi molti anni dall'ultima volta che ci siamo incontrati; da quando mi ha fuggevolmente stretto la vita sul terrazzo dei Passerano. Faccio le presentazioni. Oddone è elettrizzato per la novità, e diventa così loquace che nessuno di noi riesce più a dire nulla. Il conte e la contessa di Santafiore invitano Trott nel nostro palco; si starà un po' stretti, ma terzo e quarto atto sono più brevi; gli uomini faranno a turno a star seduti.

Trott accetta e abbandona lì per lì il gruppetto di gente con cui è entrato; mentre saliamo le scale per tornare nel palco, c'è solo una minuscola scalfittura nella mia gioia totale: se non l'avessi incontrato per caso, Trott non m'avrebbe cercata.

Si capisce, mi dico, Trott sa che sono sposata; ed è un gentiluomo: non sono molte le signore sposate che si possono corteggiare a cuor leggero. Trott non può sapere a che vita infernale mi ha costretta Villaforesta; non sa quanto sono stata sola, né quanto ho desiderato rivederlo, quanto mi sento attratta da lui, da quegli occhi che mi scrutano.

Non riesco a mantenere né la calma, né la mia consueta naturalezza. Più volte mi scopro a dover abbassare il mio sguardo che cerca il suo. Prima della fine dello spettacolo, Trott mi fa scivolare in mano un biglietto; c'è il nome dell'albergo dov'è sceso, e un punto interrogativo, prima della firma.

Lo appallottolo e lo tengo chiuso nel pugno, senza metterlo nella borsetta da sera. Ho terrore di perderlo, e mi pare più al sicuro così; se chiamerò o non chiamerò, è questione che affronterò più avanti. Per il momento godo di quest'insolita sensazione di libertà che provo nell'infrangere i princìpi secondo i quali m'hanno allevata.

Pensavo che ci saremmo incontrati per fare una passeggiata lungo il Po, anche se fa molto freddo; che avremmo preso una cioccolata al Caffè San Carlo; che saremmo andati per botteghe d'antiquari. Che avremmo, insomma, almeno salvato le apparenze facendo finta d'essere buoni amici e nient'altro. Invece Trott al telefono ha detto:

"Ma io riparto domani, non abbiamo molto tempo".

Mi sentivo arrossire, e so che avrei dovuto buttar giù la cornetta; sentivo, nella voce di Trott, una familiarità che mi feriva. Com'era possibile essere così espliciti, così volgarmente espliciti?, mi domandavo. E, assieme, mi rendevo conto di quanto fosse ipocrita il mio turbamento. Trott sapeva di non aver tempo da dedicarmi, al di fuori di quelle poche ore che avrebbe trascorso a Torino. Aveva fretta, fretta soltanto di prendere una decisione; se fare, o no, di me la sua amante, se fra noi dovesse succedere qualcosa o se anche questo incontro dovesse restare avvolto in quel velo di eccitazione e incertezza, come già era accaduto in passato.

In questa conversazione rarefatta e aerea, arriva con la violenza di un meteorite scagliato dallo spazio la proposta d'incontrarsi in un albergo. Mentre sento come scandisce, da straniero, ogni parola, mi rendo conto che la realtà, dopo tanto fantasticare, è un macigno pesantissimo che mi schiaccia al terreno. Posso buttar giù la cornetta e non vederlo mai più; posso sentirmi insultata e adoperare quest'offesa come uno scudo, che mi aiuti a difendermi; oppure, posso rassegnarmi a vedermi per quello che sono, una donna in carne e ossa con desideri semplici e sani e vitali che nulla hanno di vergognoso. Infine, quando dico:

"D'accordo. Alle quattro," la mia voce ha un suono chiaro, e del tutto naturale.

III.

Di colpo ammutoliamo entrambi.

Siamo in un albergo infimo, a ore, nel centro di Torino, una catapecchia sopravvissuta, chissà come, alle case decorose che ha attorno. È colpa mia. Trott avrebbe voluto portarmi al Grand Hôtel dei Principi o in quel piccolo albergo dov'è sceso lui, l'Hôtel de Savoie. Ho rifiutato. L'ho costretto a prendere una camera qualunque, in un albergo qualunque, di quelli che hanno a malapena fuori una targa e un concierge senza livrea. Non – o dovrei dire "non solo" – per paura di essere riconosciuta, d'incontrare qualcuno "di conoscenza" nella hall, ma perché non voglio che gli ottoni lucidi e i cristalli dei lampadari mi ricordino qual è il mondo cui appartengo.

"La clandestinità è meno romantica di quanto immagini, e soprattutto molto meno confortevole," dice lui sorridendo.

Comunque, è qui che finiamo. Il letto è piccolo e le lenzuola sono sciupate. Dalle cortine chiuse filtra una lama di luce fredda.

Trott ha un'espressione seria e concentrata. Mi guarda come se mi vedesse per la prima volta. Il suo sguardo mi imbarazza.

"Spogliati," mi dice. "Voglio vedere come ti spogli. Resta in piedi. Ti prego. Voglio guardarti."

Non mi sono mai spogliata davanti a un uomo che mi osserva. Ma non voglio sembrare timida o pudica. Voglio essere una donna diversa, senza timidezze e senza incertezze. Mi spoglio lentamente e mi sforzo di guardarlo. Scopro che, se lo guardo, tutto diventa più facile. Mi sento bella. Glielo leggo negli occhi. Mi rendo conto che nasco sotto il suo sguardo. *Si avvicinò tremante per l'ammirazione e cadde in ginocchio accanto a lei. E qui, poiché la fine dell'incantesimo era arrivata, la Principessa si svegliò.* Mi posa le mani sui fianchi e mi stringe a sé. "Spoglia me, adesso." Nella voce ha una lieve sfumatura di comando, che si indovina anche nella fluidità dei gesti. È una sensazione mai provata prima. Gli scivolo accanto e lo accarezzo. Ha la pelle morbida e calda. Mi bacia il collo, le braccia, gioca con le mie mani che intreccia alle sue e guida dove, da sole, non andrebbero ancora. "Vieni. Andiamo a letto, ora." La sua voce e la mia diventano una sola.

Lo squallore di quanto ci circonda ci investe in pieno. Io sono sposata, e sono la moglie adultera, da oggi adultera, di Villaforesta. E adultero è anche Trott, che ha lasciato chissà dove la sua Inès.

Istintivamente, ci allontaniamo l'uno dall'altra. Il letto è così stretto che non c'è spazio per stare effettivamente lontani e allora rimaniamo immobili, quasi senza respirare per non doverci sfiorare.

Com'è potuto accadere? Cosa mi ha spinto fino a qui? La noia? Un senso infantile di rivalsa contro la mia vita, cui vorrei dire: "Ma tu mi avevi promesso ben altro!"? O la malinconia che ingoia di tutto, mentre in una noia sinistra, giorno dopo giorno, tutta la vita si consuma in tentativi di riempirsi la giornata – e il padre spirituale mi consiglia: "Ha provato con la beneficenza? E con la preghiera? Perché pregare insieme rende uniti, se lo ricordi!".

"E insieme a chi dovrei pregare?" mi verrebbe da chiedergli, insieme alle signore ingioiellate che sono state le mie amiche da bambine e oggi sono diventate altrettante sconosciute, estranee, marziane? o insieme a Francesco, che frequenta una puttana di bordello per divertirsi alle mie spalle? È a quest'uomo che dovrei restar legata?

No, è qualcos'altro che mi ha portata fino a qui.

Non so dargli un nome, perché istintivamente sento che vi sono cose che non sopportano di esser nominate. Non è una questione di lingua, né di pudore: ciò per cui sono qui è così forte da avermici portata, e così fragile da dover essere taciuto, pena il dissolvimento, o peggio, il ridicolo.

Questa nausea e disgusto di me mi avrebbero preso lo stomaco anche se, invece di essere due amanti clandestini in una topaia di corso San Maurizio, fossimo stati sulla terrazza dell'Hôtel de France fra ostriche e champagne?

Immobile tra le lenzuola sgualcite, mi rendo conto che sto fuggendo, non solo da Villaforesta ma anche da una vita di finzione di una noia irredimibile; da un'immagine di me che mi hanno cucita addosso, che credevo fusa come l'uniforme del soldatino di piombo e che invece scopro, d'improvviso, non andarmi più bene. Anzi, stringe e fa male. Fuggo sì, e mi lascio tutto questo dietro le spalle, ma il mio primo atto libero di fuga e coscienza di me è rinchiudermi in una camera d'albergo, affondando la testa nella slealtà e nel sotterfugio. Sono un'amante. Si perde il significato primario della parola – colei che ama – e ne affiora un secondo, la donna nascosta. Quella che non può uscire alla luce del sole ma vive di notte o nell'oscurità delle tende tirate di un albergo, quella che sguscia nel portone col passo leggero del ladro. E ladra è, perché si ruba sempre qualcosa a qualcuno, anche non volendo.

Non so se siano le stesse sensazioni che allontanano Trott da me.

IV.

Trott s'accende una sigaretta.

Poi appoggia la mano sul mio ombelico:

"Come sei morbida".

Ho freddo, e sento le dita delle mani e dei piedi che si ghiacciano. Vorrei parlare, ma ho paura che il suono della mia voce mi faccia l'effetto di uno schiaffo.

Trott aspira il fumo della sigaretta con avidità, come se avesse ancora un bisogno da soddisfare. Comincio a chiedermi se non ci sia qualcosa che lo irriti, nel mio silenzio. Forse mi trova provocatoria, o spaventata e debole come un insetto. Chissà. Magari Inès è più...

Il pensiero di sua moglie è una staffilata, e istintivamente mi contraggo. Trott se ne accorge.

"Cosa c'è? Cos'hai?"

"Nulla. Non ho nulla."

"Sei spaventata?"

"No. Non c'è nulla che mi spaventa."

"Cosa c'è allora?"

Trott si solleva sul cuscino. Siamo vicinissimi.

"È quello che viene dopo, a spaventarmi."

"Quando usciremo da qui?"

"Sì."

"Quando usciremo da qui, continueremo a vederci. Ci scriveremo. Non ci lasceremo."

"Hai..."

"Una moglie."

"Sì."

"E..."

"E... che cosa?"

E la lascerai? Non hai fatto di me la tua puttana, come farebbe quell'altro?, vorrei avere il coraggio di chiedergli.

Rimango in silenzio. È Trott a proseguire.

"E tu... che cosa sei tu?... È a questo che pensi?"

Non rispondo, ma annuisco. Trott mi guarda. Ha un'espressione seria e intensa, ma non priva di dolcezza. Passano parecchi minuti prima che dica, semplicemente:

"Non lo so".

Immagino che quando uscirò da questo albergo farà freddo, e mi stringerò al collo il bavero della pelliccia.

Immagino che dal Po avrà iniziato ad alzarsi la nebbia, e io m'incamminerò verso piazza Vittorio, schivando la luce dei lampioni, ansiosa di trovare una macchina di piazza che mi riporti a casa.

Immagino che, una volta arrivata, mi guarderò con attenzione allo specchio, per studiare che cosa è cambiato nel mio viso o nel mio corpo, adesso che ho un amante.

Immagino che stanotte mi rigirerò nel letto tante e tante volte finché non avrò ripercorso col pensiero ogni istante del nostro incontro, come ci siamo abbracciati, come ci siamo guardati, cosa ci siamo detti.

Immagino ogni dettaglio, perché vorrei essere aiutata a scegliere, perché a lui non so che cosa dire.

"Guardami," mi dice. "Guardami negli occhi."

Lo guardo, lo guardo con attenzione, spero di vedere anche in lui i tratti della mia confusione, ma non vedo nulla se non uno sguardo assorto e pieno di tenerezza. Stando così le cose, come posso lottare?

"Sei felice?" gli chiedo, con un'intonazione volutamente sarcastica. Ma Trott non raccoglie. E dice:

"Sì," con tanta naturale semplicità che mi disarma. "Sì, sono felice."

È un attimo. Mi basta un attimo per scegliere: so cosa sta accadendo, l'immagine è finalmente a fuoco.

Ho scelto.

Le mani di Trott mi accarezzano e io non mi sottraggo più. Anzi. Mi concentro ad ascoltare come reagisce la mia pelle, ogni centimetro di pelle, al contatto, appena uno sfiorare, delle dita. Non sapevo che il sesso fosse questo, abbandono, concentrazione, silenzio, disgusto e tenerezza.

Anche questa circostanza banale – un uomo che mi accarezza – sta diventando un rito di iniziazione.

Tutto quello che ho alle spalle – adolescenza, cavalli, merletti, soprusi e governanti, piume e dispiaceri, persino la Granmammà ed Enrico, tutto, insomma *tutto* – ha contribuito a portarmi fino a qui. Perché questo abbandono e questa gioia dolorosa che provo accanto a Trott mi paiono, pur nella menzogna e nel sotterfugio, e nel mio stesso biasimo, la condizione naturale, la mia vera natura, quello che le fate hanno tenuto dal principio in serbo per me.

Allora il Re, che sentendo quel chiasso era salito anche lui, si ricordò della predizione della Fata, e riconoscendo la cosa inevitabile, dal momento che le fate l'avevano predetta...

Usciti dall'albergo, camminiamo sul lungofiume. Scendiamo giù dai Murazzi del Po lasciandoci alle spalle la chiesa della Gran Madre di Dio.

S'incontra poca gente, d'inverno, per via della nebbia. È una passeggiata da amanti clandestini, mi dico, e sorrido.

Trott non se ne accorge.

Pensavo che nel rivestirmi davanti a lui avrei provato imbarazzo e timidezza, e invece è stato così naturale. Mi ha perfino aiutato ad agganciarmi le calze, e io non sono arrossita.

Che cosa mi succede?

Per un po' restiamo in silenzio, camminando fianco a fianco. Cominciamo a parlare, di tante cose sciocche; tutti e due amiamo il cioccolato, il vino rosso e le brevi sere d'inverno. "Torino allora è il tuo posto," gli dico scherzando, "qui l'inverno dura mesi e i cioccolatai sono i più bravi d'Europa. E quanto al vino, andare nelle vigne delle Langhe e in Monferrato all'epoca della vendemmia è una festa." Trott sorride e arriccia le labbra in una smorfia: "Che ne sai tu, di vino?, dimmi. Hai mai bevuto un vero, grande vino francese, di quelli che non si dimenticano?". Mi sfila la borsa di mano; è piccola e leggera la mia borsa di jais, non contiene che un portacipria, un rossetto e, forse, qualche spicciolo; è solo un gesto galante e un po' fuori luogo, ma Trott la prende lo stesso, come se sollevarmi di un peso gli sembrasse una necessità ineludibile.

Non è a me, penso, che riserva di solito le sue attenzioni; saranno dozzine e dozzine le volte che prende la borsa di mano e apre la porta, versa del vino oppure accende una sigaretta, sfilando l'accendisigari dalle dita di sua moglie.

E lascio che le parole "sua moglie" mi rimbombino nel cervello, facendomi male; e più mi fanno male, più le accarezzo nel pensiero, quelle parole, perché rappresentano *la verità* e anche adesso che vedo gli occhi di Trott fermi nei miei, che ne percepisco il respiro e mi sento ancora addosso il suo odore, anche adesso so che noi non ci apparteniamo. Non mi chiedo perché lo so; è così, e basta.

Vorrei che la città esplodesse in uno schianto, che le lastre di pietra dei Murazzi scivolassero nell'acqua come certi ghiacci al disgelo.

Guardo su, in direzione del Monte dei Cappuccini. Si sta preparando un cielo cupo, da temporale; pioverà.

Ma non dico nulla, voglio vedere se Trott se ne accorge, se la mia presenza sortisce su di lui questo effetto magico, di fargli scomparire il mondo attorno; se mi ama, mi dico, non gli importerà nulla di un temporale o del vento freddo che sta cominciando a soffiare; ogni minuto in più che riesce a passare con me gli parrà un dono; domani riparte; sta per rientrare a Parigi, e non lo vedrò più chissà fino a quando; non voglio domandargli nulla.

Non voglio trasformarmi in una vocetta petulante che chiede e pretende; non c'è questo sortilegio, fra di noi, che ci consente di leggerci l'anima l'un l'altra, come i personaggi delle fiabe?

Sono gli ultimi minuti che trascorriamo insieme; prima o poi, dovremo salutarci. Trott non ha ancora detto nulla di concreto, se ci rivedremo, e il come e il quando; quanto a me, provo imbarazzo, ed esito.

A Parigi Trott ha moglie e figlia: non me lo ha mai nascosto. Tuttavia, non ne abbiamo mai parlato; istintivamente, sentiamo che ci sono argomenti che non ci è possibile sfiorare. Non per adesso, almeno. Gli prendo la mano, e me la porto alle labbra; lui mi guarda, divertito.

Riprendiamo a camminare.

Ora sono più calma. M'immagino che la moglie di Trott sia una donnetta da niente, un errore di gioventù che lui si trascina dietro per correttezza.

Sono io la sua compagna, questo mi dico: siamo tutti pezzi nelle caselle sbagliate, Trott, sua moglie, io, Villaforesta. Ci hanno sistemati male sulla scacchiera; e quanto al pensiero che, forse, ci siamo sistemati da soli, non appena affiora lo cancello.

Il nostro incontro è stato inaspettato, così intenso. E poi, agli amanti, è così che dovrebbe accadere, no? Non è così che sta scritto, anche nei libri?

"Sta per piovere. Rientriamo. Ti accompagno a casa."

Trott ha come sempre una voce musicale, e dice cose di buon senso; ma le sue parole, stasera, mi sembrano crudeli.

Soltanto quando, approfittando dell'ombra scura di un androne, Trott si solleva a baciarmi la fronte, mi rasereno: tale è il mio desiderio di credergli e di averlo che non mi accorgo, se non con una percezione infinitesimale, che mi ha dato un bacio come si darebbe a una sorella.

Ho passato l'intera giornata sdraiata a letto, senza leggere né dormire, con gli occhi che alla fine bruciavano per la stanchezza.

Quando Trott e io ci siamo salutati, mi sono fatta coraggio e gli ho detto:

"Se non ti vedo più, se non passerai ancora da Torino, non importa. Dicono che ci sarà una guerra".

"Dicono un mucchio di cose."

"Mi scriverai? Mi farai sapere dove sei? Di noi due, sei quello che ha più legami, in questo momento. Non voglio turbarti. Non voglio far del male a qualcuno."

"Ma che dici? Non fai male a nessuno. Certo che mi vedrai. Ti scriverò. Già stasera, magari. Il tuo indirizzo l'ho imparato a memoria. Non ci sarà nessuna guerra, vedrai."
"Non resterò qui a lungo. Credo che mi trasferirò a San Biagio. Dovresti venirci..."
"Verrò, verrò, stai tranquilla. Non ti perdo."
Naturalmente non ha scritto.
Non ancora.
Oppure mi ha scritto, ma la lettera non è arrivata. La posta può essere lenta, una lettera può perdersi, magari la sua grafia è difficile da leggere... Per settimane intere ho sperato che arrivasse un biglietto o una lettera, ma nulla. Le settimane sono diventate mesi, finché quel nostro incontro casuale al ristorante, a tarda sera, ha perso, nella memoria, tutti i dettagli. Chi c'era e chi non c'era, i mantelli scuri e le sciarpe bianche: ne è rimasta una penombra sfocata, un silenzio, il profilo di Trott ritagliato contro lo stipite della porta, quegli occhi che mi scavano dentro soltanto a ricordarli. La notte, quando scivolo nel sonno, a volte sento ancora l'odore della nebbia sul Po e lo sciabordio dell'acqua, come accenno di contrappunto al suono dei nostri passi.

V.

L'eccitazione mi ha svegliato prima dell'alba, quando fuori è ancora completamente buio.
Nina si darà da fare come ha sempre fatto. È una donna d'iniziativa e capace. Mi porterà qui tutti i miei amici. Io devo solo dirlo a Dino, che prepari le camere, aggiusti quel che c'è da aggiustare, il boiler o la persiana, che rimbianchi dove il muro s'è scrostato, cose così; poi devo scegliere una data, magari far stampare dei biglietti, chiedere alla Santa se se la sente di cucinare per tutti e se mi procura chi mi fa i letti e passa un po' di scopa per due giorni. Chi mi pulisce

qualche pezzo d'argenteria, chi mi taglia la legna in più per i camini.

Non sono rimasta a rigirarmi nel letto o a rabbrividire in veste da camera, mi sono vestita con un pullover di lana e i calzoni di tweed, ho liberato i cani e ho aspettato che rischiarasse un poco, per non inciampare in una buca. Quando ho visto che si preparava una bella giornata, autunnale e fredda, ma con un cielo limpido e del tutto sgombro di nuvole, sono andata a fare una camminata nel bosco con i cani. Lo chiamiamo bosco ma è soltanto una querceta ben pulita, senza rovi. Le piante ad alto fusto non trattengono troppo l'umido e poi sfogliano, e camminarci è una meraviglia, s'affonda il piede in un tappeto cedevole. Il bosco di querce ha un odore rotondo, come si direbbe del vino. In Monferrato andavo a camminare nei boschi di castagno. Sono severi, i boschi di castagno, cupi e profumati. Il sole non filtrava quasi mai, nemmeno in piena estate, per il fitto intrico dei rami, e l'umidità che saliva lenta dal terreno si faceva strada attraverso uno spesso strato di foglie. Mi torna in mente la Granmammà, vestita di grigio, che mi guarda e sussurra a mia madre:

"Non dimostra più di dodici, tredici anni, anche se, m'immagino, ne avrà qualcuno di più. Io ero più alta, alla sua età".

Parlano di me. Siamo in macchina, di ritorno dal Monferrato. Sta finendo l'estate. Credono ch'io dorma perché tengo gli occhi chiusi. Tengo sempre gli occhi chiusi, quando partiamo dalla campagna. Non voglio vedere la nostra casa sparire dietro la curva, non voglio pensare che sto tornando in città. *Loro* non immaginano che si possa stare a occhi chiusi solo per non vedere. *Loro* pensano che, se tieni gli occhi chiusi, stai dormendo.

La voce di mia nonna continua, senza più bisbigliare:

"È magra come uno stecco, questa ragazza, un vero stecco. Che peccato. Che spreco. Così sgraziata".

Mia madre protesta appena:

"È solo una bambina. Cambierà".

"Macché bambina. Il buongiorno si vede all'alba. Falla mangiare, bisogna che ingrassi. E poi non parla mai. Se ne sta lì muta e testarda, con quegli occhi seri che sembrano cattivi. Ieri la guardavo di lontano camminare nel campo con quel mantello verde – ma dove l'ha pescato quell'orrore? – e quasi non l'ho riconosciuta. Con la testa piccina e quelle gambe lunghe e magre, sembrava una cavalletta. Certe volte mi domando da dov'è spuntata, questa qui."

Una cavalletta. Ha detto proprio così. Cavalletta.

4.

TRASFORMAZIONI

I.

Io sono "la lunediante". In casa mi chiamano così, quando mi nascondo nel soppalco della scuderia. Tutti pensano che sia per pigrizia, perché non ho voglia di fare la lezione di pianoforte o di studiare la geografia. In casa sono convinti che la pigrizia sia il più terribile dei difetti. Loro non sanno che, se mi nascondo lì, è perché mi piace sentire l'odore dei cavalli, il rumore degli zoccoli contro l'impiantito di legno, il profumo di cuoio dei finimenti. Non mi dispiace che mi chiamino "la lunediante". Naturalmente non conosco l'etimo esatto della parola, non so che in casa mia viene adoperata a sproposito perché in realtà il termine sta a indicare gli operai che non si presentano in fabbrica di lunedì mattina. Quelli che restano a dormire per smaltire l'ubriacatura della domenica in osteria. Chissà come, quella parola è entrata in casa nostra, forse grazie alla radio o tramite un foglio della "Gazzetta" usato per avvolgere le uova, fatto sta che è filtrata nel nostro lessico e c'è rimasta, l'adopera perfino Miss Woodruff che non la sa pronunciare. Non mi dispiace anche perché si trascina dietro altri echi, mia madre che scuote la testa e mi sorride, anche se mi sta rimproverando, "*Chérie, tu es tellement lunée*", e quest'avere le lune che mi rimproverano tutti a me sembra invece qualcosa di speciale, una caratteristica che in casa viene riconosciuta solo a me. In realtà non sono mai stata la bambina pigra e svogliata che pensavano fossi. Non ho mai battuto la fiacca e molto spesso al mattino mi alzavo prestissimo, addirittura prima dell'alba, quando la casa era silenziosa e dalla cucina provenivano rumori ovattati e un chiarore soffuso: a volte preparavo una lezione in fretta e furia se non l'avevo studiata il giorno prima, a volte scendevo dai cavalli, a volte semplicemente spiavo dalle imposte socchiuse il momento in cui avrebbero spento i lampioni per strada e tutta la città sarebbe diventata azzurra. Quando sono cresciuta ho continuato ad alzarmi volentieri all'alba – Villaforesta s'infastidiva perché non lo trovava elegante: "Una signora non s'alza mai prima delle dieci e prende sempre a letto la prima colazione!" – e poi, una volta cominciato a occuparmi della tenuta, è diventata una necessità. Se sono stata pigra, forse lo sono stata di sentimenti: ho faticato a esprimere un'emozione, a rivelare un'inclinazione o un turbamento. Sono stata semmai una lunediante del cuore.

II.

A tredici anni sono uscita dalla nursery.

Questo significa: mi è stata data una camera da grande.

Dormo allo stesso piano dei miei genitori, tre porte più in là.

La vecchia nursery al secondo piano è diventata un salottino dove Enrico e io possiamo ricevere visite. Al posto dei mobili laccati di bianco, che sono saliti in soffitta, sono arrivati dal Monferrato due guéridon e un paio di poltrone rifoderate di fresco.

Sono felice della mia camera nuova. Mia madre ha ordinato in Svizzera le tende di batista bianca, ricamate a nastri e a fiori.

"È una mania," dice mio padre. "Compri sempre quelle tende che costano un occhio della testa," e ancora: "Una spesa davvero inutile, quelle beige che c'erano prima andavano benissimo".

"*Autre temps, autres mœurs,*" commenta la Granmammà. Ai suoi tempi, dice, le ragazze uscivano dalla nursery solo per andare in chiesa a sposarsi. "Che bisogno c'era di chiamare il tappezziere e *arredarle* un salottino?"

Mia madre sorride e resta zitta. Tanto, l'ha già spuntata. Avrò la mia camera da grande, come lei ha deciso: un letto a barca con due delfini a testa in giù e una grossa palla di legno scuro in bilico sulla coda.

Due cuscini per dormire, anziché uno.

Una libreria con le ante di vetro che posso *chiudere a chiave*.

La scrivania del Granpapà. Il piano di pelle rossa è sciupato da certe macchie d'inchiostro che non vanno più via, ma non vedo l'ora di sedermi a una vera scrivania e non al tavolino della nursery dove disegnavo da bambina.

Le tende di batista svizzera leggere come garze.

Mi hanno dato una camera nuova. Sono diventata grande, mi dico.

La Granmammà dice piuttosto che sono entrata in qualcosa che si chiama l'*âge ingrat*, o anche l'*âge bête*. Per me va bene così.

L'anno dopo, nel 1923, ci fu la visita di Mussolini a Torino, in ottobre.

Naturalmente io non so che si tratta della visita ufficiale del presidente del Consiglio e che tutta la città si è preparata a riceverlo. Non so che cosa sia il Lingotto, lo stabilimento automobilistico più grande e moderno d'Europa, che Mussolini è stato invitato a visitare: non è un argomento di conversazione che interessi minimamente i miei genitori. E tanto meno interessa Enrico o me. Ma la Granmammà ha deciso di andare a vedere "di persona", come precisa a tutti noi. "Che cos'è tutto questo tafferuglio?" E insiste con mio padre perché ci accompagni verso piazza Castello e piazza San Carlo, dove si presume che passeranno le autorità. Li sento borbottare e discutere se è il caso di andare a casa dei Balbo di Frua, oppure altrove. Andare al Club, che offre dei magnifici balconi sulla piazza, è fuori discussione: lì le donne non possono entrare, se non in occasione dei balli sociali.

"Andiamo dai d'Aubade," suggerisce mio padre, "hanno più di un balcone lungo la piazza, altrimenti ci tocca star stretti come sardine," mentre la nonna troverebbe meglio andare dai Gianoglio, che stanno a due passi: "E sono di *quelli* da cui si può andare senza preavviso".

Poi, finalmente, decidono e il resto della mattinata lo trascorro su un balcone spazzato da un vento autunnale, contando le bandiere e gli stendardi del palazzo di fronte per ingannare la noia di una lunghissima attesa. La Granmammà, mio padre, mio fratello e io – mia madre si è risolutamente rifiutata di accompagnarci –, tre generazioni di noi ad aspettare che passi "questo signor Mussolini", come lo chiama mia nonna.

Non ha nessuna simpatia per "il signor Mussolini" perché, dice, "quando parla tiene sempre una mano, o peggio tutt'e due, in tasca". E mio padre, per una volta, le dà ragione in pieno, tanto più che a nessuno dei due piace Torino così com'è stata camuffata. I palazzi barocchi mal sopportano tutto lo sventolio di bandiere e drappi – si dice che l'amministrazione comunale abbia procurato a ogni cittadino una bandiera da far svolazzare – e mio padre giudica questo costume un'imperdonabile mancanza di misura e buon gusto:

"Ma è mai possibile questo carnevale! Guardate un po' come hanno trasformato una città in una fiera di paese! Certe pagliacciate dovrebbero restare confinate al circo equestre, e che diamine!".

Il fascismo si svela ai miei occhi annoiati di adolescente come un'interminabile mattina affacciata al balcone per assistere a "una pagliacciata", guidata dal rozzo signor Mussolini – non solo mani in tasca ma paletot *grigio chiaro*, come constata inorridita la Granmammà – che si diverte a veder sventolare le bandiere come si divertirebbe un moccioso. Nella ristretta cerchia dei miei familiari non c'è effettivamente nessuno che se ne dia maggior pena e se anni dopo diventerà evidente anche a noi in quale catastrofe ci avrebbe trascinato, il verdetto della Granmammà, che lo aveva lapidariamente giudicato "un'imperdonabile caduta di gusto", in casa nostra non fu mai, che io mi ricordi, messo in discussione.

III.

Sono andata a trovare l'avvocato Ricorsi. S'annoia, tutto il giorno da solo. Dentro a una cesta, c'è un mucchio di riviste di enigmistica mezze scarabocchiate. Dice che se non fosse così stanco potrebbe andare a sentire i ragazzi dell'oratorio che preparano il concerto di Natale, o a visitare le chiese quattrocentesche – e dire che ce n'è di quelle che noi non si era mai sentito neanche nominare, per esempio la chiesa di Santa Cecilia al Poggiolo, sapevo che esisteva? –, o ancora al mercato a scegliere i porcini, che non c'è nessuno che li sa scegliere bene come un cercatore di funghi, e lui è stato un cercatore di porcini davvero formidabile, chissà se mi ricordo di quella volta che in cima a un colle ne ha trovati venti chili, ma com'è che non me ne ricordo?

Ricorsi tamburella sul pacchetto di sigarette, è nervoso; e io gli racconto che sto organizzando un fine settimana con dei vecchi amici, che naturalmente è invitato anche lui, che voglio dare una bella rinfrescata alla casa, approfittarne per sistemare la serratura del cancello e rimettere un po' di ghiaia sul viale.

Vorrei che fosse una riunione speciale. Non penso di organizzare nulla di troppo complicato, sarebbe ridicolo in campagna, e in così pochi, ma vorrei che l'atmosfera fosse allegra e festosa.

Mi piacerebbe illuminare tutto a candele; anche il cortile, con i lumini a padella. E pensavo a una decorazione di pigne e funghi, o magari con delle melagrane spaccate a metà, come si vedono nei quadri. Bisogna che mi ricordi di chiedere a Dino che vada a controllarmi qual è l'annata vecchia, la migliore, che ho in cantina, dovrei avere ancora del Rossovermiglio davvero speciale...

"Chiami dei musicisti. Faccia suonare qualcuno," mi interrompe Ricorsi. "Come ai vecchi tempi, quando s'andava ai pranzi e alle feste e c'era sempre musica, non quella dei dischi."

"Avvocato, certe volte tira fuori delle idee... davvero mi sorprende. Dovrei venire a chiederle consiglio più spesso," gli dico per prenderlo un po' in giro, visto che ha un'aria tanto malinconica.

"Gli avvocati sono fatti apposta, sa... a dar consigli. Sono contento che l'idea le sembri buona; se vuole, guardi, gliela organizzo io. Mi studio un programma, una cosa leggera, d'intrattenimento."

"Avvocato, lei mi serve vispo e arzillo, che c'intrattenga con le sue storie. Quella sera non la voglio in fondo a un letto, poi finisce che le devo spedire la Santa col brodino di pollo, mentre la Santa mi serve di là, a mandarci in tavola. Badi a tenersi su, lei."

"È la noia che mi atterra. Dico sul serio."

Ricorsi ha un leggero affanno. Indossa un completo di velluto, di quelli che erano in voga trent'anni fa per andare a caccia, e lucide scarpe di cuoio rosso, antiquate d'aspetto ma ancora belle. Appuntata alla cravatta porta una spilla d'oro, sottilissima, che ricorda le gambette di una zanzara. Era un elegantone, ai suoi tempi, l'avvocato. Gli chiedo com'è che oggi si è agghindato come un damerino. Lui m'ignora:

"Ho capito, lo sa? L'ho visto, quel lampo grifagno negli occhi di Scauri, l'ho visto come mi guardava. Stava zitto, ma è come m'avesse detto: 'Siamo arrivati, caro Ricorsi. Capolinea. Una di queste sere s'addormenta davanti alla televisione e, paf!, andato. Ci lascia per il mondo dei più'".

"Senta, lasci perdere queste scempiaggini. La musica. Si parlava di musica e concerti."

"Mi creda: qualche rudimento di musica mi è rimasto ancora, posso dire che me ne intendo... Allora, permette che me ne occupi io? Mi farebbe proprio piacere."

"Ma sì. Sono sicura che sarà una sorpresa per tutti."

E continuo a raccontare a Ricorsi tutto quello che vorrei fare, che andrò in banca a prendere l'argenteria, e poi bisognerà lavare piatti e bicchieri, perché quei servizi non li adopero più da tanti di quegli anni, e stirare le tovaglie di fiandra, ne ho ancora di bellissime, fiandra di lino s'intende, a trama fitta, e parlo di tovaglie che vanno inamidate per bene, rigide quasi quanto la carta, e tutti quei tovaglioli, se li ricorda lei, quei tovaglioli grandi, anche ottanta centimetri di lato?, se non erano grandi non erano eleganti, s'immagini un po', quante cose ho conservato... E intanto che racconto, lentamente la testa di Ricorsi s'affloscia su una spalla. Dopo un po' sguscio fuori dalla stanza.

L'ho addormentato, con i miei racconti.

Di ritorno a casa ho scritto a Nina, chiedendole non solo di rintracciarmi Carlino, Iris e Trott, ma anche di inoltrare a ciascuno un biglietto d'invito – non un vero invito tutto svolazzi, ma un mio biglietto da visita, dove ho scritto a mano due righe; mi pare più cortese che sia io a invitarli direttamente. È un'accortezza in più, per invogliarli a venire; verranno? Davvero verranno? Tutti? Anche lui?

Lavare le pere Conference. Svuotarle accuratamente, aiu-
tandosi con un cucchiaio da minestra. Cospargerle internamente
di zucchero e bagnarle con qualche goccia di limone. In una ter-
rina mescolare 1 etto di ricotta freschissima con le nocciole tri-
tate, 1 dl di panna o, se possibile, di crème fraîche e 6 cucchiai
da minestra di miele di acacia (il miele di castagno è troppo scu-
ro e amarognolo). Riempire le pere con il composto e sistemar-
le in una teglia con due dita d'acqua. Cuocere per 30 minuti nel
forno preriscaldato.

Ecco, per i miei ospiti sto mettendo insieme un menu semplice. Senza code di rondine o lingue di pappagallo, come sin-
tetizza la Santa.

Organizzare un pranzo: l'ho fatto tante volte, quand'ero
ancora sposata con Francesco, e tante volte l'ho visto fare a
mia madre.

Chiamava in salotto il nostro cuoco, Angelo, e diceva solo:
"Il 15 febbraio, dodici persone, a colazione," e Angelo
spariva di là e tornava indietro con il libro di casa – poco più
di un quadernetto scuro col taglio delle pagine rosso fuoco –
che porgeva a mia madre.

Poi se ne stava lì, quasi soprappensiero, Angelo Olivero,
di Carrù, entrato in casa nostra a dieci anni, e morto lì, a set-
tantaquattro. Tutta la vita con la famiglia di mio padre, preso come sguattero – certe volte, con orrore, penso quasi *ru-*
bato – a dieci anni e portato a Torino, Angelo a cui nessuno
si è mai dato la pena di insegnare a leggere o a scrivere, e che
pure cucinava come un artista sublimi soufflé e sformati e tutte quelle prelibatezze di cui oggi ho perduto la memoria.

Lo rivedo, tutto ingrembialato di bianco, poggiato allo stipite della porta, che guarda mia madre dritto negli occhi senza traccia di atteggiamento servile; questo mi piace di lui, e
questo mi ricordo, non tanto il sapore dei suoi consommé ma
quella fierezza che ha nello sguardo, perché sa di avere un ta-

lento, un vero e naturale e prodigioso talento che lo rende pari, anzi, migliore, di ciascuno di noi.

Mia madre, è lei piuttosto ad abbassare gli occhi: è piccola, di fronte a lui, quando si parla di cucina; è piccola, e lo sa, tutta agghindata com'è di merletti e perline, mentre Angelo ha solo un'uniforme bianca da cuoco, con due file di bottoni, un tovagliolo stretto al collo e uno allacciato in vita, cui aggancia il fodero da cui spuntano i coltelli da pane e da carne. Lo sguattero analfabeta è cresciuto, è diventato un ragazzone con le dita grosse, dita con cui però sa girare delicatamente un ricciolo di pasta fino a farne una scultura.

Mia madre sta lì a guardarlo, con la penna a mezz'aria, e Angelo fruga nella memoria, improvvisa, inventa nuovi accostamenti e compone in dieci minuti il menu di un pranzo sontuoso. Lei, col sorriso appena accennato, traduce: lo spezzatino in *mignons de veau*, la macedonia di agrumi in *oranges à l'orientale*, i petti di pollo in *suprême de volaille*, il minestrone in *potage à la paysanne*...

Ora è Angelo a guardarla incantato: ai suoi occhi lei trasforma quarti di bue, uova o verdure dell'orto, tutte quelle mercanzie familiari e contadine che arrivano dalla campagna o si comprano al mercato – litigandosele con gli altri cuochi –, in parole esotiche e musicali di cui non conosce il significato, e quindi le ascolta così, per il puro suono, e perché sono vaghe, ineffabili, così leggere.

E allora mia madre, che si compiace dello stupore di Angelo, di quella sua muta e commovente ammirazione ogni volta uguale, si lascia andare a un commento personale, un timido gioco di parole di cui è fiera, e che ripete spesso, senza averne colto, credo, il doppio senso:

"Sai Angelo, i menu *devono* essere in francese... è sempre stato così... e c'è una bella ragione, per cui alle prelibatezze che cucini tu io cambio il nome... è che il francese è... ti fa venir voglia di assaggiare tutto... ti dà come un'acquolina... è *una lingua che si sente in bocca*...".

E ogni volta Angelo, d'istinto, capisce che a questo punto della conversazione è necessario aggiungere una risatina discreta, per compiacere mia madre e la sua battuta incomprensibile a lui, e forse anche a lei... Con insignificanti variazioni, ho assistito a questo duetto decine di volte.

Adesso invece darò in mano alla Santa il cartoncino riciclato sul quale ho scritto approssimativamente la ricetta delle pere al forno, copiandola da una rivista femminile. Ma so che mia madre ne avrebbe fatto almeno delle *poires farcies à la crème fraîche.*

I miei amici si accontenteranno. L'ultima volta che ci trovammo tutti assieme, più o meno cinquant'anni fa, tutto era diverso. Non so cosa m'avesse preso, di invitarli alla Bandita la prima settimana di giugno; credo però che volessi svagare Trott, che mi pareva turbato e non del suo solito umore. Attribuivo quel rabbuiamento alle incertezze del periodo, e forse anche alla noia che può provare in campagna chi è abituato alle capitali, a Londra e Parigi.

In quei giorni si votava per decidere se saremmo rimasti o meno una monarchia; certo, si prospettava un bel cambiamento, anche se la guerra ci aveva già abituati a parecchi cambiamenti repentini. Ma la repubblica... Che voleva dire? Chi di noi lo sapeva?

Si prevedeva che ci sarebbero voluti almeno due o tre giorni per completare lo scrutinio dei voti, un'eternità. Perché non aspettare assieme il risultato, ingannando l'impazienza con delle belle cavalcate, tutti da me?

Accettarono; era un bel gruppo, il nostro. Ci conoscevamo da tempo, ed eravamo tuttavia così diversi per inclinazioni, gusti e simpatie politiche. Non che ci facessimo caso, allora. Ci univa la passione per la campagna, il gusto per il cavallo, e ci bastava.

Iris faceva acquerelli di animali e gironzolava per la Bandita sempre in cerca dell'upupa, o di uno dei cani, delle galline ovaiole o di un fagiano tra i lentischi; quanto ai cavalli, diceva, preferiva montarli che dipingerli. Come lei, Carlino, Trott e mio cugino Oddone erano ottimi cavallerizzi; io mettevo a disposizione la Bandita, i miei cavalli, qualche cassa di Chianti di prima della guerra. Nina ci metteva grazia, bellezza e una disinvolta capacità di godersi la vita che finiva con l'esser contagiosa. Nessuno di noi si sentiva di criticarla; certo non Carlino, che si era giocato tutti i gioielli della moglie scommettendo ai cavalli; né Oddone, che dopo aver passato anni a imbottirsi la giacca per sembrare più robusto e virile, aveva aspettato di vedere Mussolini in piazzale Loreto per trovare finalmente il coraggio di ammettere che non amava le donne – con enorme sollievo, suo ma anche mio, poiché non ero più costretta a fingere di non aver capito. E tanto meno mi sarei arrischiata a giudicarla io, Nina. Avevo le mie necessità cui badare, un'azienda agricola da mandare avanti, decisioni da prendere, e se ne contavano tante, ogni giorno; e fra l'altro vivevo *more uxorio* con un uomo che non era mio marito.

Ignoravo, allora, i pensieri non pertinenti; e mi ritagliavo del tempo per me, solo per me, di primissima ora, quando tutti dormivano e faceva appena chiaro. Sellavo il cavallo e andavo, lo lasciavo correre fino a sfiancarlo il mio mezzosangue giù dalla querceta, a rotta di collo, rischiando la scivolata, l'incidente, cercando il pericolo; a volte arrivavo addirittura a lasciare lasco il sottopancia; cosa cercassi, non lo so; che Trott e il mondo intero stessero in pena per me, forse; e magari che a qualcuno importasse, che so, di dove stavo andando, di cosa facevo.

5.

IL DOPOGUERRA

I.

Siamo in guerra. Da quattro anni, oramai. Una notte vengo svegliata dall'abbaiare dei cani. Succede spesso di questi tempi. Anche loro sentono la tensione e la paura, senza contare che i boschi che abbiamo vicino a casa sono considerati un buon nascondiglio dai fuggiaschi o dai soldati che cercano qualcuno; a volta sentiamo qualche colpo d'arma da fuoco provenire dalle colline. Scendo in cucina, insonnolita e preoccupata. C'è qualcuno alla porta. Sono le due del mattino. Non sono fascisti, mi dico, quelli s'annunciano con grida e schiamazzi, e non sono tedeschi, che busserebbero con colpi secchi. Ho paura, ma apro. È Nina. Spettinata, in giacca e pantaloni, con lei ci sono un uomo e un ragazzo di sedici, diciassette anni. È agitata, mi fa segno di non dire nulla. Li faccio entrare e ci sediamo in cucina. Nina tira fuori un pacchetto di sigarette e ne offre una all'uomo. Poi infila la mano nella tasca della giacca e ne estrae un piccolo involto. "Tieni," mi dice con un sorriso. "Sono sicura che ti fa piacere." È tè. Tè inglese, al bergamotto, di quello che si beveva in casa mia quando tutto era ancora normale, quando la nostra vita sembrava non dovesse cambiare mai. Mentre scaldo l'acqua e preparo le tazze, Nina racconta: ieri, a pochi chilometri da qui, alla fattoria d'Arceno, un ufficiale tedesco decide di fare una rappresaglia contro i civili, forse per rispondere agli attacchi dei partigiani, o forse solo per lasciarsi dietro un segno di crudeltà. Sceglie la fattoria del Palazzaccio d'Arceno, vicino a Siena, dove sono sfollate una cinquantina di persone. Alla fattoria vive la famiglia Barbagli, un bel gruppo di gente, donne e bambini. I tedeschi arrivano e ammassano tutti nell'aia. Le donne e i bambini piangono, gli uomini tacciono. L'ufficiale dà ordine a un soldato di far fuoco con la mitragliatrice, ma il soldato spara in aria. Scelta o errore, Nina non sa dirlo. Quella gente è paralizzata dalla paura. L'ufficiale tedesco estrae la pistola e fa fuoco sul mucchio: uccide i bambini Barbagli, di uno, tre e sei anni; un ragazzo di sedici; e altre cinque persone, tra membri della famiglia Barbagli e i vicini. Secondo Nina, l'ufficiale tedesco è morto anche lui, ucciso, pare, dai suoi stessi soldati. "Impossibile," interviene il ragazzo arrivato con lei. "Quelli sono cani bastardi, non sono uomini con la coscienza." "Zitto," dice l'uomo, "chi parla così fa il loro gioco. E comunque tu non c'eri." Ora si rivolge a me. È sulla quarantina, con i capelli già grigi e gli occhi nocciola. "Mi chiamo Marcello Alibrandi. Sono un medico. Conoscevo i bambini Barbagli." La voce gli si chiude in un filo.

"Comunque, i soldati tedeschi non hanno sparato, né inseguito i contadini scampati che fuggivano," conclude Nina, "e questo vuol dire che anche fra le truppe tedesche cominciano a serpeggiare paura, pessimismo e un po' di umanità. Io ne ho viste troppe per restare ferma. Vado con loro."

"Con *loro* dove? Ma dove vuoi andare?"

Nina è capace di ballare tutta la notte, di sedurre ogni uomo che incontra senza un briciolo di decenza, di spendere un patrimonio in abiti da sera, borsette, cappelli e questo è il suo limite e il suo fascino. Dove pensa di andare nella notte con due uomini che ha probabilmente appena conosciuto?

Nina sorride. Ha le occhiaie, e la carnagione non è più luminosa e fresca come un tempo. Però ha un'espressione serena e concentrata quando mi risponde, e non ha nulla di enfatico, solo il tono pacato di chi ha fatto una scelta.

"Andiamo sull'Amiata. Ci sono dei gruppi di addestramento di brigate partigiane per le operazioni in Val d'Orcia e nel Grossetano."

"Tu?! Andiamo, Nina, non dire sciocchezze. Cosa fai, strisci nel bosco con un fucile, inneschi una bomba sotto un ponte, giri in bicicletta di notte portando messaggi? E se ti beccano spari alla cieca come un tedesco?"

"Macché. Figurati. Nel bosco, io? Nemmeno se rinasco. E non ho nessuna intenzione di maneggiare esplosivi, o di sparare a qualcuno. Vado a offrire quello che so fare. Alibrandi conosce bene Gaspardo, un comandante partigiano. Era iscritto con lui alla facoltà di Medicina vent'anni fa o giù di lì. Vero, Alibrandi, che mi presenti a Gaspardo? Una come me fa sempre comodo. Anche Alibrandi è d'accordo. Andiamo a renderci utili. Con quello che sappiamo fare. Alibrandi è un chirurgo e io parlo le lingue, conosco tutti quelli che contano e non ho paura di niente. So maneggiare gli uomini, italiani, tedeschi, inglesi, sposati, scapoli, lo dicono tutti. È ora di mettere a frutto questo talento, non ti pare una buona idea?"

La guardo allibita. Lei incrocia il mio sguardo e scoppia a ridere.

"Ti ho presa in contropiede, vero? Non te l'aspettavi da me, no? Questo è il punto. Sono preceduta da una fama di leggerezza e vanità che sarà la migliore delle coperture. Giusto, Alibrandi? Perché *dobbiamo* avere una copertura, per essere al sicuro. Comunque sono venuta qui per salutarti. Se per caso le cose andassero storte, di' a tutti che mi merito una medaglia. D'oro, se no non la voglio. E poi, cara mia, sei di strada, noi arriviamo da Firenze e siamo stanchi morti. Vorremmo dormire qualche ora al sicuro. Ci dai un letto? E qualcosa da mangiare?"

Li ho sistemati nelle camere degli ospiti. È pericoloso, ma

tanto, se venissero a cercarli, li troverebbero anche se li avessi nascosti nel granaio o nel capanno. Dopo che sono andati a dormire, passo il resto della notte a preparargli delle provviste da portar via, olio, formaggio, uova e un po' di vino. Sono molto impressionata dal coraggio di Nina; penso che non conosciamo mai veramente le persone. O forse, dobbiamo ammettere che gli individui cambiano, che le loro qualità nascoste emergono in superficie o s'inabissano definitivamente quando la vita entra in rotta di collisione con loro.

Di continuo arrivano notizie di stragi da tutta la Toscana. Arezzo, Pistoia, Firenze, Lucca. I tedeschi in ritirata se la prendono con le donne, i vecchi e i bambini, ogni giorno di più. Qui a San Biagio viviamo in sordina. Ado se l'è portato via in tre giorni una polmonite, e il suo posto alla fattoria l'ha preso Mario, il figlio, tornato da poco dal fronte così male in arnese che non se lo ripigliano più. Vive nascosto nella cisterna svuotata dell'acqua. È umida e piena di topi, ma è un nascondiglio sicuro. Da mesi i tedeschi e i fascisti rastrellano le campagne alla ricerca di uomini renitenti da usare per lavori di campagna e poi da fucilare o deportare. Non si sentono altro che storie così. Nina ha passato gli anni di guerra a far finta di niente, come molti di noi; poi, senza preavviso, ha fatto una scelta. Credo che, interrogata, nemmeno lei saprebbe come e perché ha deciso. Con la guerra s'impara anche questo: la mattina non sai né come, né dove, né se, ci sarai la sera.

Mia madre è rimasta sola. Mio padre è morto, tre mesi dopo l'entrata in guerra dell'Italia. Dalla morte di Enrico non è più stato lo stesso, e il cancro alle ossa che lo ha risucchiato non ha trovato alcun ostacolo, alcuna resistenza. Era evidente agli occhi di tutti.

Ieri l'altro, Firenze è stata liberata.

La casa dei miei nonni non esiste più. Iris mi ha detto che

dove c'era il portone d'ingresso, ora c'è un buco maleodorante: sono saltati anche i tombini.

Dice che, a guardar bene tra le macerie, si vedono ancora schegge di legno dorato, chissà, forse le seggioline della sala da ballo, che mia madre non ha voluto portar via – "roba rifatta, non val la pena".

Mia madre mi scrive dal Vaticano, pregandomi di raggiungerla. "Qui ci si sente più tranquilli," conclude.

Monsignor Venturi le ha offerto un posto letto in una casa tenuta aperta dalle monache, e da mesi sta in una camera con altre dieci donne; hanno tutte dei bambini. E io?, dove sono io, la sua bambina? Così ha detto a monsignor Venturi. *Posso farmi raggiungere dalla mia bambina?*

Per mia madre ho ancora dieci anni, non trentacinque.

Le ho detto di no. Sto bene qui. Ho cercato di spiegarle che in Vaticano non avrei nulla da fare; non ho bambini piccoli da proteggere e sto meglio dove sono. Qui posso essere utile.

Un anno fa hanno bombardato la scuola, e da allora ho messo a disposizione casa mia; non proprio la casa, che avrebbe potuto essere bombardata anche lei, ma uno stanzone seminterrato, che chiamiamo "la cantina vecchia"; è ampio, ha mura molto spesse e più di una volta l'abbiamo usato come rifugio antiaereo.

L'insegnante, che si chiama Margherita, è una fiorentina piena di efelidi che cerca di far dimenticare ai bambini che siamo un paese in guerra.

Non so se ci riesce, ma quando spiega la storia, o la matematica, le brillano gli occhi. È una gioia, per me, averli qui.

A metà mattina preparo fette di pane e olio – a volte, ma solo quando uno di loro compie gli anni o ha preso un voto particolarmente bello, addirittura di pane e zucchero – e scendo a portargliele. Quando mi vede arrivare mi corre incontro Filippo, il più piccolo della classe, che ha appena sei anni; e dietro di lui arrivano subito Matteo e Anna, di dieci; poi Marzia, Adalberto, Lidiano, Paolo e Giuseppe, che ha perso un braccio due anni fa per una scheggia di granata. Le due più grandi, Loretta e Maria, fanno finta di niente: si sentirebbero sminuite dei loro tredici anni se corressero a fare merenda come i più piccoli.

Certe volte rimango ad ascoltare le lezioni, oppure prendo con me i più grandi e cerco di insegnar loro qualche parola di inglese, *one two three* e poco più, e ogni volta mi stupisco di come imparino alla svelta. "È la guerra," dice Margherita, "che gli ha messo addosso la voglia d'imparare. Fuori hanno paura di tutto, di saltare su una mina o di sentire, quando sono a casa, sempre e soltanto racconti di violenza e di preoccupazioni; qui è diverso. Imparano a leggere e a contare, ascoltano le storie di Romolo e Remo o di Carlo Magno, qui tutto diventa svago, divertimento. Chi l'avrebbe mai detto che una cosa buona, ai bambini, la guerra la fa?"

Non so se sia proprio così. Vengono qui volentieri anche perché c'è lei, una maestra innamorata del suo mestiere, con gli occhi intelligenti e il dono di raccontare. Ha trasformato una cantina umida in un'aula di scuola, anche se non ci sono i banchi né la lavagna, e lascerà un segno nella memoria di questi bambini.

Un giorno di novembre, Margherita arriva a scuola che non si regge in piedi; la bicicletta sbattuta in un angolo, entra e ha gli occhi vacui, di chi è in trance.

La faccio sedere, e mando fuori i bambini.

"No, no," protesta debolmente. "Devo fare lezione. Ora passa, ora passa. Devo fare lezione."

Non le do retta; è sotto choc, e poco dopo farfuglia che le hanno ucciso il fidanzato. M'indica la borsa di rafia, piena di libri: accartocciata in un angolo c'è una lettera, col timbro del ministero. Non ho bisogno di leggerla, e mi stringo al cuore la testa di Margherita, accarezzandole i capelli. Stiamo così, a lungo. Quasi senza accorgermene ho preso a cullarla, avanti e indietro, pianissimo. Margherita non dice più nulla.

Ha continuato a far lezione fino a giugno, senza perdere un giorno; non sorrideva più, ma non ha mollato. I bambini hanno capito e facevano a gara per studiare meglio una lezione, per imparare le divisioni o recitare una poesia senza impappinarsi. Quel sorriso però non l'hanno più visto. L'ultimo giorno di scuola, Margherita è venuta a salutarmi. "Lascio. Torno a Firenze, dai miei. Insegnare, bisogna sentirselo dentro, e io non me lo sento più. Aveva ragione lei. La guerra cose buone non ne fa. Non fa sconti a nessuno. Che ci vuol fare. È andata così."

Non vado più a cavallo, me n'era rimasto soltanto uno e me l'hanno portato via.

La vigna e l'oliveto sono un disastro, non c'è più nessuno che se ne occupi; ma, mi dico, prima o poi questa guerra finirà.

Mi sposto in bicicletta, come faceva Margherita.

Di Trott non so nulla.

Da quella sera a Torino, da quella sera prima della guerra, è da allora che non ho saputo più nulla. Potrebbero essere passati trent'anni, tanto sono lontani quegli abbracci, quei pensieri.

La cosa più importante è resistere, mi dico.

II.

La guerra è finita.

È passata la notizia alla radio e i ragazzi della fattoria vicina sono venuti a chiedermi in prestito la macchina per andare di paese in paese a festeggiare, suonando il clacson e sventolando la bandiera.

Gliel'ho data, la Mercedes, anche se di benzina ce n'era poca, e gliel'ho detto che si fermeranno per strada, in mezzo alla campagna.

Si sono stretti nelle spalle e hanno detto che fa lo stesso. Fa lo stesso per nulla, penso io, vorrà dire che finiranno a strillare la loro gioia in mezzo ai campi, a sventolare le bandiere tra le vigne.

Non me la sono sentita di andare con loro a festeggiare.

Ho girato un po' per casa, spostando qui e là una sedia, i soprammobili, un tappeto; come se volessi celebrare la pace togliendo un po' di polvere, accomodando l'arredo; ho smesso quando è cominciato a grandinare e sono dovuta correre alle finestre per chiudere gli scuri.

Spaccano i vetri, i chicchi, come le bombe.

Tolto il fracasso della grandine, sono sola in casa, e in silenzio; la guerra è finita, e questo significa che devo ricominciare a guardare lontano, a preoccuparmi del futuro.

È un'abitudine che ho perso, questi anni di barbarie mi hanno abituata a razionare anche il futuro in piccole porzioni, che è una maniera appena più elegante di dire che ho vissuto alla giornata.

E adesso mi tocca scrollarmi di dosso ogni senso di precarietà e tornare a essere quella di prima, rimboccarmi le maniche, per la mia campagna e per l'oliveto che stenta, e per quel po' di vigna rimasta che chiede cure assidue e continuative; magari è una bella maniera di festeggiare la pace, preoccuparsi del vino.

Più tardi, quando è cominciato a far scuro, mi sono chiusa in camera e ho aperto l'armadio degli abiti da sera; ne è uscito un odore di canfora misto a muffa, quasi nauseabondo; l'ultimo vestito sulla rastrelliera – quello che preferisco – è una tunica di chiffon verde lattuga, tutta ricamata di perline.

Allora, da ragazza, mi sembrava un vestito strepitoso, esotico, immensamente chic. E, particolare che me lo rendeva ancor più caro, non piaceva a mia madre; che scuoteva la testa, e andava ripetendo "chi di verde si veste, di sua beltà si sveste", e che "una scollatura tanto accollata non dona" e il gioco delle trasparenze è *"così* volgare".

Era un vestito di corredo, uno dei tanti; ma aveva una sua potenza evocativa che lo rendeva diverso, ai miei occhi, da tutti gli altri.

M'immaginavo che quel vestito avrebbe fatto di me un elfo dei boschi, una piccola Dafne con le dita d'alloro, o anche una figuretta molto più semplice, una lattughina animata che balla, leggera e instancabile, fino allo spuntar del giorno, nell'orto riportato in vita da un sortilegio sconosciuto.

Gli altri vestiti di corredo, quelli scelti da mia madre, erano chilometri di stoffe minacciose: un taffettà rosso acceso che avrebbe fatto di me una valchiria fiammeggiante; un severo tailleur blu notte con cui avrei dovuto certamente impartire ordini secchi e perentori non so bene a chi; un abito da ballo in raso bianco che mi avrebbe impedito – con tutta quella stoffa e quell'architettura di balze e ruches e pieghettature – non solo di danzare ma persino di camminare...

Non cadevo nella trappola di considerare l'acquisto di un intero guardaroba – tutto per me! – come una prova schiacciante della generosità di mia madre; ero consapevole che la sua generosità ubbidiva a una regola sociale precisa, e codificata: andavo in sposa e bisognava che arrivassi in casa Villaforesta con i bauli e le valigie pieni di abiti per ogni occasione – da mattina, da pomeriggio, da pranzo, da ballo, da sera e via dicendo – e questo per decoro e per tradizione. E soprattutto ero consapevole che mia madre – mentre la première della Sartoria Sorelle Gambino ci svolazzava intorno e chiamava fuori a una a una le sue ragazze con indosso i diversi modelli – non stava semplicemente scegliendomi un guardaroba, ma mi stava suggerendo, ad arte, una serie di comportamenti sociali da adottare; perché, grazie non tanto alla mia età anagrafica quanto al prossimo matrimonio con Villaforesta, stavo per uscire dall'adolescenza, dai suoi metri e metri di sangallo bianco e dalle calze di cotone inglese, per entrare in quella leggera e impalpabile biancheria di seta che mi turbava al semplice toccarla, come se avessi intuito che mi avrebbe traghettato in un altro mondo, sconosciuto e seducente, fitto di sentieri tortuosi e di passerelle fragili, sospese sui burroni di chissà quali indecenze.

Quanto mi costava, allora, ubbidire a mia madre, che pure amavo con assoluta tenerezza; quanto mi costava accorgermi che eravamo così incommensurabilmente distanti, noi che eravamo così vicine in termini di sangue e d'affetti, e perfino fisicamente, con quella stessa sfumatura di castagno scuro nei capelli e l'arco allungato delle sopracciglia.

Ma questa volta sono decisa, e non ascolto ragioni; m'incapriccio, e supplico, e punto il dito sull'indossatrice dal viso severo che piroetta davanti a mia madre e a me, felicemente sprofondate nel sofà di velluto.

E vinco.

Per una volta, vinco.

Mia madre infine china il capo, fa cenno di sì. E poi si volta, e mi sorride.

Qualcosa l'ha intenerita, e non credo sia stato l'occhio languido della première, quanto un pensiero più sottile, un guizzo di tenerezza pura, infantile, un improvviso riconoscersi in me, lei, la bella forestiera che, quando sposa mio padre e lascia Firenze per Torino, piange due giorni e due notti, inconsolabile.

Il fattorino recapita a casa scatole e cappelliere di cartone da cui sgorga un guardaroba di meraviglie e io resto incantata a guardare il vestito verde. Dopo tutto, ho solo scelto un abito da sera, ma vedo una ragazza, dentro a quel vestito, un guizzo verde acqua, una percezione subito scomparsa, di cui resta una traccia che è leggera ed evanescente e tuttavia persiste, come certi profumi dolciastri che si spruzza addosso Miss Woodruff e che restano a lungo in salotto, anche quando ne è uscita.

La ragazza vestita di foglie di lattuga – ecco cosa mi piace molto in quel vestito, colore e leggerezza assoluta – è un'immagine che mi è curiosamente cara, più che cara, familiare.

Sì, certo, è solo un vestito di chiffon. Ma è ricamato tutto di perline, e quando vi batte sopra un raggio di sole mi accorgo che s'illumina di luce riflessa, come la luna.

È questo il vestito che indosso a Parigi la sera del mio incontro con Trott.

È con quel verde spruzzato di luce che Trott mi vede per la prima volta.

Chissà, forse anche a lui sono sembrata un elfo dei boschi. Chissà, forse è per questo che non ha mai provato il desiderio di inseguirmi. Fatica inutile, deve aver pensato, temendo magari che mi sarei trasformata in un cespuglio d'alloro; o forse immaginava che sarei fuggita così lontano da non sapere poi, nemmeno io stessa, ritornare indietro.

Non si può inseguire nessuno troppo lontano.

III.

Novella, la moglie di Mario, viene a chiamarmi.

"C'è qualcuno al telefono per lei."

"Chi è?"

"Non so. Non ho chiesto."

Scendo giù.

Sono seccata.

Detesto le telefonate inaspettate.

Il salotto è pieno di sole, siamo nel mezzo dell'estate. Abbandonata sulla chaise longue riconosco la sagoma sottile di mia madre, che dev'essersi addormentata. Si è fermata da me un paio di settimane, di ritorno dal Vaticano, ma è decisa a rientrare a Torino. Benché io insista, non c'è verso di farla rimanere.

A Torino non hai più nulla, le ho detto, e subito mi sono pentita dell'involontaria crudeltà. Come ho potuto mancare così di tatto, di delicatezza? Non sono io che devo ricordarle che a casa, in via Magenta – che adesso, mi hanno detto, forse cambierà nome –, non è rimasto nessuno, se non, forse, un vecchio cameriere e Angelo, il cuoco. Mia madre solleva su di me il suo sguardo sorpreso, quello glaciale, che un tempo mi paralizzava e che oggi attribuisco solo alle sue orbite tanto profonde e alte, come hanno sovente le belle donne. Increspa le labbra in un sorriso di stupore e domanda, a voce bassa:

"Come 'non ho più nulla'? E le mie carte, la mia musica, i miei affari, le vendite di beneficenza, la canasta, le amiche, non è *nulla* per te, la mia *vita*?".

Questo pomeriggio, uno degli ultimi che abbiamo da passare insieme, mia madre non è di compagnia; è già accaduto altre volte che l'abbia trovata a dormicchiare in poltrona, il viso in ombra e le spalle alla finestra.

Non voglio prendere la telefonata dall'apparecchio accanto a lei, non voglio disturbare il suo sonno leggero.

Da quando è venuta a stare da me, ho per lei tutte le delicatezze possibili.

Dopo la guerra è invecchiata di colpo, un tempo avrebbe considerato una mancanza imperdonabile sonnecchiare in salotto. Devono essere i mesi passati in Vaticano, dormire in uno stanzone con altre dieci sconosciute, cambiarsi e svestirsi dietro una tenda improvvisata, ci si spoglia di tutto durante la guerra, anche delle timidezze, dei pudori e delle vecchie abitudini. Passando le do un bacio leggero e lei, senza cambiare posizione, si strofina la guancia, come se scacciasse una mosca.

Vado a prendere la chiamata in cucina, la persona al telefono può aspettare. Il sonno di mia madre è più importante.

Dico pronto, e non risponde nessuno. Sto per riagganciare, le linee sono ancora molto disturbate, la comunicazione cade spesso, senza motivo apparente; ma sento un soffio, neanche un respiro, appena un leggerissimo fruscio. Aspetto.

"Sono io," dice la voce. "Sono io. Trott."

Mi dimentico di respirare.

La telefonata – *tout cela se fit en un moment* – mi restituisce intatta la leggerezza del sogno, e la speranza che questo sogno, un giorno o l'altro, s'avveri.

IV.

Trott è a Siena.

Mi aspetta alla Pensione Nannini, dov'è sceso. Chiamo Novella e la prego di occuparsi di mia madre, quando si sveglia. Poi corro in camera da letto e cerco freneticamente tra i vestiti se c'è qualcosa di adatto. Sono passati sei anni, dall'ultima volta che l'ho visto.

Ho trentasei anni, un reticolo sottile di rughe attorno agli occhi e alla bocca. Nel mio armadio ci sono solo pullover, pantaloni di tela e camicie all'americana. È inutile, mi dico, provare a travestirmi. Ed è quello che continuo a ripetermi quando parcheggio l'automobile, la chiudo, entro nella porta girevole della Pensione Nannini, chiedo di Trott al banco e mi avvio senza esitazioni verso la biblioteca.

Alla Pensione Nannini la cosiddetta biblioteca è una stanzetta angusta, con una carta da parati a strisce slavate. Nel centro c'è un tavolo pieno di riviste, e qualche poltrona imbottita, un tappeto rosso, stampe di fiori alle pareti. Oltre la portafinestra, s'intravede una veranda assolata e deserta.

È una giornata calda, e la Pensione Nannini ricomincia a fare affari con i forestieri di passaggio.

Mi guardo attorno.

Sul tavolo c'è anche un vassoio con due o tre bottiglie di liquore fatto in casa, nocino, rosolio, roba così.

Trott non c'è.

Mi guardo attorno, sconcertata.

Ci sono un uomo e una donna. Lei sta fumando una sigaretta e con l'altra mano agita un cartoncino per farsi vento. Lui ha la testa china su un giornale e solleva appena lo sguardo su di me; lo osservo distrattamente, ha i capelli tagliati corti, ancora alla maniera militare, e mi pare vestito in modo sciatto, trasandato.

Esco e vado verso la reception a chiedere spiegazioni, quando mi sento chiamare e mi volto. L'uomo si è alzato in piedi, sta immobile nel centro della stanza e ripete, piano, il mio nome. Ecco cosa c'è alla Pensione Nannini: un uomo in camicia azzurra e pantaloni beige, leggermente ingrassato, alle sue spalle una veranda piena di sole con un gelsomino bianco arrampicato torno torno, un silenzio quasi sacro, e io, che ho aspettato sei anni questo istante, non l'ho riconosciuto e non riesco a dire né a pensare una sola parola, sono schiacciata dal vuoto e da questo silenzio, da questo mio non riconoscerlo che mi pare un tradimento, sono annichilita dallo stupore, e anche commossa dal mio, dal nostro, turbamento, da questa dolorosa rivelazione che stiamo sperimentando, che non siamo più quelli che eravamo.

Il viso di Trott si contrae in una smorfia.

"Ciao," dice, senza sorridere.

Eccoli, l'uno di fronte all'altra, gli amanti clandestini di un solo pomeriggio che non sono riusciti a dimenticarsi, quei due che prima della guerra si cercavano con gli occhi in mezzo a una folla di invitati e che in questo pomeriggio afoso stanno facendo finta di desiderarsi ancora, perché questo passato banale da romanzetto rosa – una storia di corna! Tanto vale riconoscerlo! – è tutto quello che hanno. Si guardano negli occhi, ma in realtà è indietro che stanno guardando con quello sguardo vuoto e sbigottito. La biblioteca della Pensione Nannini è troppo piccola per contenere tutto il loro smarrimento.

Ho aspettato un cenno, una lettera, una parola, per sei anni. Sei.

"Offrimi una sigaretta, per favore."

È tutto quello che riesco a dire.

Cinque parole semplici, che restano a galleggiare sperdute, a mezz'aria, come quel pulviscolo dorato che balla nel fascio della luce estiva.

Trott annuisce. Mi prende la mano e se la porta alle labbra. Soltanto il suo sguardo è rimasto lo stesso, ma è già abbastanza.

"Vieni qui. Più vicina."

Si è seduto sulla sponda del letto, ma io resto in piedi. Guardo i miei vestiti cadere in terra senza rumore. Li guardo come se non fossero miei. Trott mi accarezza le spalle e mi bacia.

Lascio che mi percorra la pelle con lo sguardo, con le dita, che mi baci tutto il viso, la bocca, gli occhi, la fronte.

Nel silenzio.

Gli occhi di Trott.

Tremo impercettibilmente.

Tremo di desiderio.

Avrei potuto fuggire con lui tanto tempo fa. Avrei potuto scostare la sedia dal tavolo da pranzo, posare il tovagliolo dopo la prima o la seconda portata, dare il braccio al mio amico, il mio amico dagli occhi inquieti, e uscire da quella casa di rue Cambon, sotto lo sguardo di sprezzante indifferenza di mio marito e, naturalmente, sotto lo sguardo – certamente più divertito che scandalizzato – di tutti gli altri.

Curioso come alle volte, per conquistare ciò che si desidera fortemente, ci vogliono in pari misura coraggio e sventatezza. Allora tutto pareva preferibile a una presa di posizione che implicasse una responsabilità, che ci inchiodasse alle nostre scelte.

Ci siamo derubati a vicenda, Trott e io.

Ed è per questo che adesso sono piena di delusione.

Ha ragione mia madre. *Noi non viviamo tragedie – abbiamo solo dispiaceri.*

Mi accorgo che mi sta venendo da piangere. Spero che

Trott non se ne accorga. Non c'è nessun bisogno che mi veda piangere – "Sei così *ovvia*, tutte le ragazze piangono," cantilenava Enrico, e Miss Woodruff avrebbe arricciato il naso in una smorfia di disgusto. Nascondo la testa sotto il cuscino. Mio padre diceva sempre che avevo due facce, come le medaglie, con una piangevo e con l'altra ridevo. Ora, mi dico, tiro fuori la faccia che ride.

Abbiamo fatto l'amore in fretta, come se dovesse suonare la sirena da un momento all'altro, ma dopo siamo rimasti abbracciati a lungo. Non c'è nessun rumore tranne il ronzio di un moscone entrato dalla finestra, un moscone così stupido da continuare a sbattere contro il vetro, senza capire dov'è lo spiraglio di uscita.

Ho letto da qualche parte che la vita di una mosca dura poche ore.

"Le mosche vivono solo un giorno. Probabilmente nascono all'alba e muoiono al tramonto. Chissà se vale lo stesso per i mosconi. Tu credi che i mosconi e le mosche siano della stessa famiglia? Che sia solo una questione di dimensioni?"

"Ma che razza di domande fai, tu?"

Non so che razza di domande faccio. Resto rannicchiata sotto il lenzuolo.

"Svolazzano qua e là. E il vento le trasporta ovunque. Ti immagini, quanto è intensa la vita di una mosca?"

Trott si alza per andare a spalancare la finestra. Il moscone vola via.

"Così almeno non spreca tempo con noi. Ha ancora poco da vivere, sono già le sei," dice sarcastico.

Trott ha uno sguardo indecifrabile; per me, è tutto indecifrabile quello che riguarda Trott, per la semplice ragione che non lo conosco abbastanza.

Glielo dico.

Ride, e con un tono di voce sommesso mi domanda, senza volere una risposta:

"Come sarebbe, non mi conosci?".

Dev'essere calda anche di notte, questa camera all'ultimo piano, sotto il tetto. Prima della guerra qui arrivavano a frotte le turiste – specialmente le inglesi, governanti o insegnanti di Finishing School in pensione –, per via dei prezzi modici e della tappezzeria a fiori. E certo quelle Miss dai colori pastello si saranno illanguidite, chiuso con trepidazione il chiavistello della camera da letto, a guardare il campanile del Duomo o questi balconi italiani, così *romantici*, come quello di Giulietta, *all this is so Italian*. Sto pensando a mille cose così, perché Trott e io non abbiamo niente da dirci e il silenzio va riempito, penso a mia madre con la vocetta stridula, sempre pronta a sgridarmi, e a come giustificherò questo pomeriggio inaspettatamente passato senza di lei, senza avvertirla in anticipo pur sapendo che soffre delle variazioni di programma, degli imprevisti, perché teme che la situazione, qualunque situazione, possa sfuggire al suo controllo. Le è già accaduto, mio padre e mio fratello, li ha già perduti. Le sono sgusciati tra le mani, e certo mia madre si tortura, chiedendosi com'è possibile che il suo affetto e la sua tenerezza non siano bastati a trattenerli, che la morte possa essere così irriguardosa, così testarda.

Trott ha un'espressione concentrata. Io mi sento ammorbidita dalle lacrime, triste, sì, e rassegnata.

Così, mi dico, è andata così.

Nessuno può scegliere come devono andare le cose. Nemmeno io.

Poi Trott si volta a guardarmi:

"Non mi ero reso conto, fino a questo momento, di voler rimanere. E ho bisogno di un posto dove stare. Puoi ospitarmi per un po'?".

Così. Lo dice così. Si possono dire cose del genere così?

Trott dice anche:

"Ti amo".

(O dice: *amore mio*. Oppure: *tesoro, eccoti qui*. O ancora: *ti amo da impazzire*. O magari non dice nulla, ma io sento ugualmente tutte queste parole. Non sono poi tante le parole che si possono sentire nel silenzio.)

"Ho aspettato sei anni una lettera o una telefonata," gli rispondo. Non dico altro, mi alzo, vado in bagno a rivestirmi, ed esco. Chiudo delicatamente la porta della camera, facendo attenzione a non far scattare rumorosamente la serratura. La maniglia di metallo manda un bagliore nel corridoio scuro, un raggio di sole la colpisce di taglio. Trott non ha neanche provato a trattenermi.

Torno a casa con la sensazione di essere stata via per giorni e giorni, magari a fare il giro del mondo, e invece si è trattato solo di mezzo pomeriggio, eppure dilatato, enorme, uno spartiacque, una barriera, di più, una cesura irrimediabile e profonda. Trott l'ho lasciato lì, avvolto nel lenzuolo bianco, che mi guarda fisso, con un mezzo sorriso ma senza una parola.

V.

Mi aggiro per casa come una bestia in gabbia. Trott vive da due settimane alla Pensione Nannini e ci vediamo ogni notte. A volte mi fermo a dormire da lui, poche ore di un sonno agitato perché sono costretta a vivere di sotterfugi, a uscire di casa solo quando mia madre dorme e a rientrare prima dell'alba in modo che non s'accorga di nulla. Giuliana Nannini, la padrona della pensione, è una donna coraggiosa. Suo marito, Lorenzo, è stato ucciso da una granata angloamericana nel '41, ma lei non ha perso la sua incrollabile fiducia negli Alleati. Odia i tedeschi con tutta se stessa e quando Trott le ha detto di aver passato diverse informazioni importanti al Comando alleato non ha esitato a dargli una piccola stanza sul retro, a cui si accede dal cortile. A Siena c'è ancora un clima pesante. La paura si è lasciata dietro un odore che impregna le mura, che si respira nelle contrade e nelle campagne. Gli ultimi due anni di guerra sono stati anni durissimi. Gli aerei americani avevano l'ordine di colpire tutto quello che si muoveva nelle campagne. Bettina, la sorella di Mario, è morta così. Era andata a prendere un po' d'olio per il lume alla fattoria dei vicini, in una sera che sembrava tranquilla. Anche adesso, a guerra finita, le donne si tengono stretti i figli adolescenti: sono solo ragazzi con la rabbia degli adulti e l'incoscienza dei ragazzini e le madri hanno ancora la paura nel cuore. La ritirata tedesca è stata un bagno di sangue. In cinque mesi, duecentottanta stragi di civili in un'ottantina di paesi toscani, prevalentemente sull'Appennino. Quasi cinquemila morti, dice Mario. Abbiamo vissuto nel terrore troppo a lungo. C'è chi ha fame, chi ha perduto tutto, chi non ha più niente da perdere, e questo solo qui, in questo fazzoletto di terra che conosco e che amo, chiuso dalle colline come un diadema. Trott racconta che al Nord e al Sud è lo stesso, che l'Europa è un cumulo di macerie e di sofferenze, che solamente casa mia è un lembo di paradiso scampato, chissà perché, alle bombe e al dolore. Mario, quando è morta Bettina, non ha dormito né mangiato per due giorni, e alla moglie che gli portava una tazza di brodo ripeteva testardo, ma senza lacrime: "Il dolore è il mio pane, Novella, lasciami in pace". Era lei a piangere, inconsolabile. Cercavo di confortarla. "Ma non capisce, signora contessa," mi diceva, sibilando quasi con rabbia, "che qui non si salva nessuno?" È una frase che mi è rimasta in testa, sta lì e galleggia, come una didascalia del cinema, non si salva nessuno, *nessuno*.

Trott non parla di sé, e io esito; ho imparato a temere le spiegazioni quanto i silenzi. Non parla di nulla, in verità. Ogni tanto lo sento preoccupato, ma non so da cosa né perché. Poi di notte facciamo l'amore come due adolescenti, senza sprecare nemmeno un minuto a parlare – come fanno quelli che hanno il tempo contato, gli amanti e i fuggiaschi –, ed è ogni volta diverso. Certe sere è un amore violento, e Trott mi stringe per farmi male e per vedere se negli occhi mi guizza la paura, altre volte è dolcissimo, e lui s'abbandona con una tenerezza infantile e disarmante. La piccola stanza al pianterreno della Pensione Nannini contiene un intero paradigma di emozioni umane, e le conserva perché ogni sera Trott e io le ritroviamo preziose e intatte solo per noi. Quando, ogni tanto, gli chiedo di sua moglie e di sua figlia, mi risponde con un gesto accompagnato da uno di quei suoi lunghi sguardi silenziosi, che non so più decifrare. "Vivono in Francia. Le cose non sono più come prima. Inès non era più capace di stare con me." Non dice altro. Si sono lasciati intenzionalmente, dunque; Inès non era più innamorata di Trott. È andata veramente così? In questi anni è cambiato tutto; la guerra ha devastato ogni cosa, non si è limitata a sventrare le città, a seminare le campagne di bombe esplose e inesplose; persino quelli di noi che si sono rintanati nelle case di villeggiatura, sulle Alpi, in Vaticano, quelli che hanno fatto finta che anche questa fosse una guerra come tutte le altre – una di quelle che si studiano sui libri e si combattono soltanto col moschetto –, hanno finito con l'arrendersi: questa guerra è stata un veleno che si è infiltrato nei polmoni. Di tutti noi ha fatto dei sopravvissuti. Né illesi né invulnerabili, soltanto sopravvissuti. È una realtà diversa, e nuova, con cui fare i conti.

Trott dubita di ogni cosa, di sé, dei suoi affetti, non sa più nulla; mette la prua al vento, aspettando di sapere dov'è opportuno virare: in quest'incertezza si è ricordato di una ragazza imprendibile e dolente, con la quale, forse, c'è stato qualcosa; è una memoria, sfocata e impalpabile, una memoria di un tempo di pace così lontano da parere finto come certe scenografie teatrali, peggio che artificiale, addirittura mai esistito; un tempo di fantasia, immaginario: l'ha incontrata davvero, quella ragazza, ma dove? A teatro, a una mostra del Guercino, all'opera magari, o per la strada? Oppure l'ha incontrata a un ricevimento, e lei ha uno sguardo che sembra assorto e invece è soltanto vuoto, perché ha scelto – no, non ha scelto, le è capitato – di portarsi addosso uno struggimento che è immenso ma sta tutto racchiuso in un pugno, e da fuori non si vede. Si è accorto, Trott, di quanto sembra fatuo, oggi, indossare il frac per andare fuori a pranzo, e mandare qualcuno a prendere dal fioraio un garofano, una gardenia, una rosa per l'occhiello? Eppure, la memoria ci dice che questo è quello che si è stati, e ci sommerge un rimpianto che non sappiamo cancellare. Forse c'è anche dell'imbarazzo, un pizzico di vergogna, un certo disagio; dov'è sparito, tutto un mondo?

Trott pensa di volermi, mi confonde con quella memoria, e non sa, non capisce, che non è di me che va in cerca ma di quell'uomo con i capelli ravviati all'indietro e un fuoco negli occhi che è amore di sé, amore dei trent'anni, di cento, mille possibili vite spalancate davanti. Per questo è venuto fin qui a cercarmi, perché almeno io, con la mia dedizione, gli rimandi quest'immagine che non trova più da nessuna parte, uno specchio che gli faccia vedere chi un tempo ha creduto di essere. Trott mi attribuisce un potere magico che non ho. Non posso ricondurlo a quel lontano se stesso. E lui fraintende questo limite oggettivo – nessuno di noi può tornare a essere com'era prima della guerra, perché non lo capisce? –, lo prende per una mancanza di entusiasmo. Mi trova spenta, rassegnata, così diversa; dov'è sparita la giovane donna avvolta in un mantello di raso, che sguscia nella porta girevole di un ristorante alla moda?

Devo preparare i bagagli di mia madre perché domani rientra a Torino – le ho trovato un passaggio con Nina, che va a scegliersi una nuova automobile, sportiva questa volta –, e me la cavo alla svelta. Poi ne approfitto per salire in cima alla torre. È ingombra di bauli, sedie sfondate e altri pasticci, ma a farsi strada tra le cianfrusaglie il premio è una finestrella tonda, in cima a due scalini, che s'apre su un terrazzino stretto e lungo. Quel che si vede da lì toglie il respiro: una campagna ordinata, macchie di bosco che diventano blu e grigioazzurre perché il sole che tramonta le ha già relegate nell'ombra. È stata una giornata molto calda, luminosa, ed è sempre una sorpresa per me accorgermi di come la luce morbida di fine pomeriggio restituisca al paesaggio la sua profondità e i suoi tanti colori pieni di sfumature, e perfino smorzi la sonorità del giorno per preparare ogni cosa al silenzio notturno. Resto così chissà quanto, spersa ad accarezzare con gli occhi questo panorama che ho davanti, e il pensiero di Trott dentro di me. Quanto avrei desiderato vederlo riapparire solo per me, senz'altro scopo che ritrovarmi, e non per nascondersi come un fuggiasco. Impaurito, vigliacco, disorientato.

VI.

Trott sta partendo per Firenze. Si stabilisce là, mi ha detto, è più sicuro. Mi ha raccontato che i suoi affari sono andati a rotoli e non c'è più nulla che lo leghi a Parigi, mentre a Firenze un ricco americano gli ha dato un incarico che sa di poter svolgere con competenza. Quando gli chiedo di che cosa si tratta, fa un gesto come dire: banalità, sciocchezze, e solo con la mia insistenza riesco a farmi dire che deve mettere insieme una collezione di bronzi, terrecotte, dipinti, affreschi staccati, quello che trova. In America si dice che da noi perfino i parroci e le perpetue di campagna vendano le tele di sacrestia per raccattare un po' di danaro.

L'americano coltiva un sogno: possedere una collezione da museo. Ha notevoli mezzi economici e industrie meccaniche, che con la guerra sono andate a meraviglia; si è conquistato in pochi anni una posizione sociale e una bella casa, a Chicago, che aspetta solo gli arredi europei. In cantina l'americano ha già raccolto dozzine e dozzine di vini delle migliori annate francesi e italiane; per la moglie ha acquistato brillanti tagliati in Olanda, che però tiene chiusi in cassaforte. Adesso è in caccia di capolavori italiani, ma gli affari lo trattengono, dispettosamente, in America. Quando incontra Trott, che ha un gusto sicuro e l'occhio esercitato, risolve un problema; e il mio amico, con danaro americano, prenderà un piccolo appartamento a Firenze come campo base per le sue perlustrazioni; un anno, o poco più, deve bastargli: l'americano ha fretta di aprir casa con un ricevimento di cui si parli in città, quando dovrà sposare la figlia, che è già fidanzata. Trott s'affanna a spiegargli che le collezioni si fanno col tempo, oltre che col danaro; ma l'americano, che è di poche parole, taglia corto dicendo che questo è un principio che vale per chi di danaro non ne ha.

Trott mi ha chiesto di accompagnarlo a Firenze, così ho detto a Mario di controllare l'acqua, l'olio e le gomme. Trott vuol passare per le colline, scegliendo le strade con le curve strette e i dossi tra i vigneti, dove s'incontra solo qualche contadino. Mentre Mario prepara la macchina, gli propongo di fare un giro fino a Monteti.

"Ora? Ma se stiamo per partire!" ha protestato.

"C'è ancora un po' di tempo, non sono ancora le cinque. Vedrai che sorpresa, che vista."

È una passeggiata a piedi di un quarto d'ora, sopra un tratturo sconnesso che separa le vigne. La strada, con le curve lente e le insegne di una trattoria lungo la carreggiata, è già velata dall'ombra della collina. È una di quelle giornate di fine agosto, quando le vigne sono cariche d'uva e si spera che piova. Qualche nuvola in cielo, dopo l'estate, è un regalo.

Trott si guarda attorno e si meraviglia.

"È stupefacente come il paesaggio leonardesco non muoia mai, da queste parti, come la civiltà non abbia saputo scalfirlo."

"E nemmeno la guerra, con la sua furia," gli rispondo.

"Mi piace guardare qualcosa che la guerra non è riuscita a sciupare," dice Trott, e mi fa una carezza sulla guancia. "Anche tu sei rimasta la stessa."

"Vedi? Te l'avevo detto. Conosco dei sentieri che danno un piacere speciale alla passeggiata. Qui si sta bene."

Si è messo a ridere e mi ha chiesto scherzando:

"Mi stai proponendo di venire a vivere con te?".

"Perché no?" gli ho risposto.

"Senti, non lo so. Adesso sono qui. Non pensare al resto."

"Te ne andrai di nuovo?"

"Ricordati che mi hai promesso di non volere niente da me. Di non chiedermi nulla. Non dimenticartene, per favore."

"Potresti trasferirti qui. La prossima volta ti porto a Lagoacquato. Ci andiamo con i cavalli."

"Vieni tu a Firenze."

"Non posso. Devo occuparmi della fattoria. Per me è un lavoro, capisci?"

"Un lavoro? Tu non sai nemmeno cosa vuol dire, lavorare." Trott si è irrigidito. "Tu chiacchieri, vai a cavallo, aggiusti un po' qui e un po' là, senza un progetto, senza grinta. Sei abbastanza ricca da mantenerla così, la tua fattoria. Questo non è lavorare. La campagna a te serve solo per guardarla dalla finestra. La usi come un panorama, come hai sempre visto fare."

"Mio padre diceva che con la campagna i soldi si perdono, non si fanno."

"E ha ragione. Tutti quelli come lui hanno perso dei soldi. Succederà anche a te. Quando finirai i soldi ne venderai un pezzo, poi un altro."

Lo guardo stupita, è la prima volta che mi parla con questo tono.

Con voce più dolce, socchiudendo gli occhi, prosegue: "Quanto ti rende oggi la fattoria?".

"Non lo so... non so se mi rende. Costa, direi..."

"Vedi? Non sai nulla. Hai bisogno di me."

Senza voltarmi, gli ho detto:
"Non so nulla e ho bisogno di te. È così".
Ma credo che non mi abbia neanche sentito.
Per tutto il viaggio non abbiamo scambiato una parola. A
Firenze, lasciata la macchina, Trott ha detto che conosce un
caffè dove c'è una saletta privata.
"Aspettami, è questione di poco, devo vedere un amico.
Uno che mi aiuta a trovare quello che cerco."
"Un antiquario?"
"Una specie."
E ha fatto un cenno di saluto a un uomo massiccio, dal volto lungo e spesso. Si sono allontanati velocemente girando l'angolo, mentre io ordinavo al banco acqua e limone. Mezz'ora
più tardi Trott è ricomparso da solo, con un sorriso.
"Torna alla Bandita, prima che faccia buio. Le strade non
sono sicure di notte."
Sono triste. Mi dispiace che abbia deciso di venire a vivere a Firenze ma non voglio chiedergli nulla, gliel'ho promesso.
Ci lasciamo con un abbraccio frettoloso, pieno di tenerezza.
"Torna a trovarmi," mi dice stringendomi forte.
"Sì."
"Tra due settimane. Ti aspetto qui. Vediamoci nel pomeriggio."
"Promesso, Trott."
Salgo in macchina accanto a Mario con le lacrime agli occhi, ma guardo fuori dal finestrino. Non voglio che veda quanto mi è difficile separarmi da Trott.

I giorni sono volati, due settimane fatte di niente, e siamo
arrivati a settembre. Mi preparo con cura per andare all'appuntamento con Trott, voglio essere bella e seducente come
non mi ha mai vista. Mi faccio lasciare da Mario davanti allo
stesso caffè. Trott è lì. Ha un pacco sotto il braccio.

"Cos'è?" gli ho domandato così, tanto per dire.

"Libri."

"Che genere di libri?"

"Manuali. Roba recente e libri d'antiquariato. Una piccola e preziosa collezione."

"Una collezione?"

"Me li ha procurati il mio amico, sono per te."

"Fammeli vedere."

"No. Aspetta. Sono un regalo, ma prima devi farmi una promessa."

"Dimmi."

"Te la senti di far fatica? Di studiare, capire, subire delusioni, e soprattutto di non aver fretta ma solo pazienza?"

"Be', non so. Immagino di sì... se ne vale la pena."

"Ne vale la pena. Fidati."

"Allora sì."

"Tieni, tesoro. Leggi, studia, è il meglio che c'è sull'argomento."

È la prima volta che ricevo un regalo da lui. Dentro il pacco ci sono cinque libri, un paio di edizioni antiche e tre più recenti. Tre sono in francese, uno in italiano e uno in inglese. Sono manuali di agronomia, una storia del vino francese, un fascio di documenti che assomigliano a referti clinici. Guardo meglio: sono analisi del terreno, dell'acqua e, piegata in quattro, c'è anche una carta geografica militare. Riconosco la sagoma della Bandita, confusa in un reticolo di linee scure che non so leggere. Non capisco dove vuole arrivare, Trott.

"Perché..."

Mi guarda con un lampo negli occhi e accosta il suo viso al mio. Sento l'odore della sua pelle, vicino così. Si fa portare dal cameriere un piatto con dell'uva. Stacca gli acini e delicatamente me li infila in bocca, uno dopo l'altro. Rido, imbarazzata.

"Sai cosa c'è a nord-ovest dell'intersezione tra il meridiano di Greenwich e il 45° parallelo?"

"No. Non so nemmeno dov'è, il 45° parallelo."

"Chiudi gli occhi."

Li chiudo. Qualcosa di morbido e fresco mi scivola sulla fronte, tra le sopracciglia, lungo gli zigomi. Trott mi sta accarezzando con un chicco d'uva mentre mi dice, a bassa voce: "Sei un aeroplano, oppure sei una rondine che torna, sei un pensiero che vola in alto e sorvoli la Bandita, senti come sono rotonde le colline e com'è morbida la pianura, un pezzo di velluto a volte verde, a volte marrone chiaro... Senti le costole scure dell'Appennino e l'aria fresca delle montagne, il rumore dei ruscelli alpini e le macchie bianche dei ghiacciai. Senti l'orlo celeste del mare, un golfo dopo l'altro che si rincorrono verso la Spagna, e attorno hai ancora montagne e pianure fessurate da fiumi e torrenti, e quando hai tutta l'Europa alle spalle intuisci che davanti a te, fra poco, avrai soltanto le onde crestate dell'Atlantico...".

Ha posato l'acino d'uva sulle mie labbra. Lo fa scivolare avanti e indietro.

"È arrivato il momento di fermarti, come fanno gli uccelli quando si riposano in volo sulle correnti ascensionali. Sei arrivata sull'intersezione tra il meridiano e il parallelo, sei su un quadrato di duemila chilometri rivolto verso l'oceano, dove si fa il vino più buono della Terra. L'aria ha un profumo che non t'immagini. Ettari ed ettari di vigneti, a perdita d'occhio. Vento gentile, piogge leggere, quando servono. Un miracolo della natura e dell'uomo."

Una morsa di gelosia mi serra lo stomaco. Riapro gli occhi, irritata. Sua moglie è nata e cresciuta a Bordeaux e discende da una famiglia di piccoli viticoltori rovinati dalla guerra. Cos'è che vuole da me, trasformarmi in una nuova Inès ancora più fragile e più sola? Trott è divertito e accaldato, gli occhi gli brillano di eccitazione. Da tempo non lo vedevo così.

"Cinquecento milioni di anni fa, nel Quaternario, i sedimenti fluviali hanno trascinato nel bacino della Gironda i detriti rocciosi dal Massiccio Centrale e dai Pirenei, creando un terreno inadatto praticamente a qualunque tipo di coltivazione eccetto quella della vite. Insomma, ghiaia mista a terra. E questo è il punto numero uno. Ho fatto analizzare il tuo terreno. Hai una terra da vino."

"E allora?"

"Il secondo è il clima atlantico che, influenzato dalla corrente del Golfo, determina inverni miti, di breve durata, seguiti da primavere fresche, ed estati generalmente calde e assolate."

"Da noi fa freddo d'inverno, Trott, un freddo cane."

"Ma tu non hai le gelate di primavera, così pericolose per le vigne. Da te sono rarissime. Quella specie di imbuto foderato di boschi che hai attorno alla fattoria è la tua fortuna. Tu rischi meno gelate di chi ti sta attorno, ma hai comunque un'estate calda e asciutta. E qualche pioggia in agosto. Terzo, l'uva. In passato si attribuiva una scarsa importanza alla qualità del vitigno. Ci si accontentava di viti che producessero acini con un'adeguata percentuale di zucchero per consentire la fermentazione. È tutto scritto qui. In Francia la scienza della vinificazione si studia da quattrocento anni, in maniera scientifica. Si può fare anche in Toscana, anche tu puoi fare un buon vino. Se ti va bene, persino un grande vino. A ogni terreno, il suo vitigno. Non hai niente di geologicamente simile attorno, ma hai una valle larga dai fianchi rivestiti di boschi, in pieno sole molti mesi all'anno. Hai l'acqua. Hai una grande cantina, puoi avere la manodopera, tutta gente che sa il fatto suo, che devi solo sgrossare un po'. Sperimenta, mescola finché non trovi l'uva giusta per te. Per fare un vino di velluto, come i tuoi occhi."

Firenze è immersa in una foschia acquosa che la rende quasi impalpabile. Socchiudo gli occhi e tra le ciglia filtrano nuovi colori, sfocati nella luce del pomeriggio. Saranno le sette, le otto di sera, e già parte del fiume è in ombra; i viola, i lilla, tutti i toni del grigio e dell'indaco si fondono, il marciapiede su cui camminiamo diventa un nastro d'argento. La città e la luce del giorno sono il giardino incantato, dove tutto può accadere. Posso impiantare una vigna. Non uno o due ettari, ma dieci, venti, dove l'esposizione è più adatta. Posso trasformare la Bandita in una grande e moderna fattoria. Posso legare Trott a me e alla terra. Posso di nuovo pensare a costruire, dopo aver visto tanta distruzione.

Trott fa un gesto, come a sfiorarmi il braccio; poi, con più insistenza, mi afferra il gomito. Mi volto, aspettando che parli, ma non accade nulla. Si limita a guardarmi. Poi, d'un soffio, dice:

"Senti. Andiamo via".

"Dove?"

"Torniamo a casa. Vengo a vivere con te. Ti insegno a fare il vino."

VII.

Trott si è trasferito alla Bandita.

Novella non ha fatto commenti, ma è come li avesse fatti, e pesanti. Devo sembrarle una poco di buono. Si capisce, ha appena ventidue anni ed è già sposata da tre. "Le cose sono o non sono," dice. Che significa: una donna sposata non vive in casa con un altro uomo. Semplice e rigoroso, come lei. Ma dopo qualche settimana Novella non fa più la faccia imbronciata. Si è accorta che la presenza di Trott solleva Mario da molte incombenze e seccature. Trott armeggia tutto il giorno in cantina, ridà il minio alle gronde, aggiusta la pompa del pozzo. Novella, a poco a poco, lo prende in simpatia e quando lo vede entrare in casa lo saluta con un sorriso e gli porta un bicchiere di vino.

Tutto s'è rimesso in moto. Dopo la guerra, credevo che ci sarebbero voluti anni per riportare ogni cosa com'era. Invece, facciamo passi da gigante e ci diamo da fare. Si lavora dall'alba fino a sera, sette giorni su sette. Siamo in autunno e c'è ancora tempo, prima che arrivino gli scrosci d'acqua a rendere impossibile lavorare in campagna. Trott ha individuato i terreni con l'esposizione migliore per i nuovi vigneti. Dobbiamo fare uno scasso profondo quasi un metro, e sfruttare le pendenze del terreno per creare i drenaggi che consentano all'acqua di scorrere senza ristagni. Mario guida una squadra di operai che cavano le pietre e le ammucchiano in grossi cumuli che useranno poi per riempire i fossi dei drenaggi. Il buon vino, dice Trott, comincia da una vigna piantata con cura e mi spiega paziente tutto quello che sa. Dice di conoscere produttori di vino che adoperano lo stesso vitigno ma producono vini di qualità diversissime. Dice che sulla costa un piemontese sta sperimentando vitigni francesi a pochi metri dal mare, nel generale scetticismo, ma che quella almeno è una strada nuova. S'affanna a spiegarmi che il vino si fa con l'intuito, col tempo, con la cura dei dettagli e con la tecnica. Mi parla per ore dei vitigni di qui, del Sangiovese che vuol dire "sangue di Giove", del Trebbiano e della Malvasia, di quelli che a San Gimignano facevano la Vernaccia già nel Medioevo, dei Greci e dei Latini che per il vino hanno creato un dio apposta. E per noi cristiani, dice, il vino diventa il sangue di Cristo. Si mette lì, appoggiato al mandorlo accanto al pozzo, e racconta, racconta senza smettere più. Va in giro in bicicletta a trovare i vecchi di qua che gli raccontino della terra, di come vendemmiano e quando, della pigiatura e dei malanni dell'uva. Poi torna, certe volte impolverato e stanco, senza più un brillio negli occhi ma solo stanchezza, e dice che è tempo perso, che la gente di qui non ce l'ha una vera cultura del vino perché sono dei morti di fame. Novella rimugina, zitta e offesa, le spalle magre nascoste sotto lo scialle di lana, la testa china a guardare per terra e Mario s'imbizzarrisce anche lui, e dice di non farla tanto lunga, il vino qui lo si beve da sempre. Sì, ribatte Trott, quello del fiasco. Prova a invecchiarlo, il vino del fiasco. Provaci Mario, e vedi che roba.

La sera, dopo mangiato, Trott e io ci mettiamo intorno a un tavolo pieno di carte. Studiamo i libri che mi ha regalato, verifichiamo di aver predisposto i drenaggi in maniera corretta, lungo le linee di pendenza, in modo da far scorrere l'acqua senza danni per le radici. Un buon vigneto, dicono quelli di qui, deve avere non solo uno scasso profondo ma anche uno squadro che tenga conto dell'esposizione solare. Poi pianteremo le barbatelle e i pali di castagno in cima ai filari, poi i fili di sostegno, poi dovranno passare tre anni prima di avere un po' d'uva. Quanto al vino, poi...

"Ci vuole troppo tempo, Trott, per il vino, troppa pazienza," gli dico.

"Ma tu ne hai, di pazienza, ne hai tanta."

Ogni tanto Trott è di cattivo umore. S'allontana e sta via anche due o tre giorni, per quelle che chiama "le mie faccende fiorentine" e dalle quali torna spesso incupito. Non parliamo mai dei suoi affari, né di sua moglie. Molto raramente Trott parla della figlia, come se fosse la figlia di un altro, con un distacco che non so se attribuire al dolore o alla nostalgia. Interrogato, non ne parla; si chiude a riccio, e per giorni e giorni l'argomento pare sotterrato. Poi, non si sa come, riaffiora, perché Trott deve averlo nascosto lì, un pensiero appena sottopelle ma oramai entrato in circolo, uno di quelli che non si risolvono a venir fuori né a scomparire per sempre. La forza dell'affetto che ci unisce sta, credo, in tutte queste porte chiuse che abbiamo tra di noi e che non tentiamo affatto di aprire.

Stamani Trott dorme ancora e non si è accorto che sono sgusciata giù dal letto. È molto presto. Ieri abbiamo fatto l'amore quasi tutta la notte, con brevi pause in cui cedevamo alla stanchezza e al sonno, ma bastava una carezza perché ricominciassimo. Non conta nulla che dal nostro incontro a Parigi siano passati quasi vent'anni. Esistono persone, mi dico, per le quali il tempo che misura la profondità e la forza delle emozioni è quello della lentezza, non della rapidità. Raccolgo i miei vestiti senza far rumore, scendo in cucina e mi preparo un caffè. Novella ha lasciato tutto in ordine, ieri sera. Apro la scatola dei biscotti, certe buonissime gallette che fa lei e che io spezzo nel caffè per ammorbidirne il sapore amaro.

Devo attraversare una striscia di prato – non è più il *lawn* all'inglese di quando avevo un giardiniere, ma quello che mia madre chiamerebbe "una sterpaglia" – che è inzuppata di guazza e mi macchia gli stivali.

I miei due brocchi mi stanno già aspettando.

Stamattina voglio sellare Monregale, che deve fare un po' di movimento. Mi avvicino, lo accarezzo e poi strofino la guancia sul suo muso. Monregale china la testa, per ricevere altre carezze.

Penso a Trott che sta dormendo ancora.

Improvvisamente ho la certezza, l'assoluta certezza, che questo è il momento più felice di tutta la mia vita.

6.

TUTTO COME PRIMA

I.

Due giugno 1946. È domenica sera. Le giornate si sono allungate di molto, e ha fatto chiaro fin verso le nove. Tra oggi pomeriggio e stasera sono arrivati tutti.

"Quelle colline sembrano più vicine," ha detto Oddone scendendo dalla macchina.

"E guarda che colore ha il cielo, blu pervinca come a Sankt-Moritz."

Nel pomeriggio ho chiesto a Novella di fare le frittelle di ortica e di mettere fiori nei vasi.

"Cosa festeggiamo, signora contessa, le votazioni?" mi ha chiesto dubbiosa, e quando non ho risposto ha concluso da sola: "Non festeggiamo niente di speciale, che è meglio".

Dopo pranzo siamo rimasti giù in salotto a chiacchierare fino a tardi.

Abbiamo anche scommesso.

Oggi ci è stata posta la domanda cruciale: monarchia o repubblica? Le donne hanno votato per la prima volta, tutte tranne Novella, che si è rifiutata di andare perché, dice, tanto fa lo stesso.

Nina vuol brindarci su, ed è già un po' sbronza quando

informa Carlino che per l'occasione si è fatta fare un tailleur apposta, ovviamente blu savoia, per essere in tema...

"Si capisce che sono andata a votare. Per il gusto di esserci. Ma non vi dico per chi ho votato. Tirate a indovinare. Maria José è una donna piacevolissima, elegante, spiritosa e brillante. Sarebbe una regina, finalmente, con un certo chic... non vi sembra?"

"Hai visto com'è fotogenica in quei ritratti che le fa Ghitta Carel?" interrompe Oddone con un pizzico di cattiveria. Sappiamo tutti che Nina è scontenta del ritratto che le ha fatto Ghitta Carel.

"È davvero una bella donna, così *racée*, un'altra si sarebbe sciupata da morire, con tutti quei figli uno dietro l'altro... Lei invece ha conservato una splendida *taille*."

"Del tutto sprecata," commenta Oddone. "Si sa che il re..."

"Non capisco cosa vuoi dire," lo ha interrotto Carlino, tagliente, e ha continuato: "Rischia di essere un vero disastro. Per il re e per tutti noi. Pensate se vincono i repubblicani... che guaio. Faranno scoppiare la rivoluzione".

"Ma che rivoluzione e rivoluzione, Carlino! Sei così melodrammatico, quando ti fa comodo. Anche la guerra è stata un disastro, non ti pare? Ma tu dicevi che sarebbe stata una guerra gloriosa, veloce e senza strascichi. Che avrebbe fatto dell'Italia un grande paese," lo zittisce Nina. "E il tuo re non ha fatto una gran bella figura... no?"

"È anche il *tuo* re, fino allo spoglio delle schede, mia cara. Non credere di essere meglio di noi. Solo perché ti sei unita a un gruppo di facinorosi sulle montagne. Con i quali ti sarai pure divertita, conoscendoti."

"Sei sempre stato un coglione, Carlino. Prima e dopo la guerra. È un conforto vedere che nel generale cambiamento qui e là resta qualche punto fermo."

Oddone si mette a ridere piano e finisce che ridiamo tutti. Poi s'alza in piedi. Sotto la luce del lampadario, sembra un attore su un palcoscenico. Carlino ora sbuffa irritato, si sente preso di mira, ma Oddone si limita a estrarre una pagina di un giornale straniero che conserva piegata con cura nel portafogli. Si schiarisce la voce e traduce: "'Avremo bisogno di molti anni per contare tutti i nostri morti. I dati ufficiali scarseggiano, tuttavia possiamo dire che, secondo un bilancio ancora molto approssimativo, i morti sono stati intorno ai cinquanta milioni, a cui s'aggiungono milioni di dispersi. In nessun'altra guerra a memoria d'uomo si è mai registrato un numero così alto di perdite civili: circa il cinquanta per cento del totale. Gli attacchi aerei, le deportazioni di massa, le rappresaglie e lo sterminio perpetrato nei campi di lavoro e di concentramento non hanno risparmiato donne e bambini, anziani e malati...' Che ne dici, Carlino?" chiede poi a bassa voce.

Che ne diciamo tutti?

La responsabilità. A nessuno di noi viene in mente che potremmo avere delle *responsabilità*?

Restiamo tutti in silenzio.

Carlino china la testa, si stringe nelle spalle e un velo di rossore, appena percepibile, gli colora le guance.

"Sembrava tutto così semplice e logico. Chi poteva immaginarsi... tutti quei morti, quegli orrori. Come potevamo credere che fosse tutto vero..."

Ognuno di noi sta pensando alla stessa cosa, chissà quale sarà l'esito del referendum.

Tranne Oddone, gli altri sono convinti che resteremo una monarchia. Che la repubblica è fatta per gente pragmatica e organizzata, per nazioni moderne come l'America o la Francia.

Io non so cosa pensare, se non che il nostro nuovo sovrano – Vittorio Emanuele III ha abdicato qualche settimana fa, all'inizio di maggio – ha l'aria spaventata e austera. "Ma ha tanto tempo davanti," si sente dire in giro, "tutto il tempo per farsi." E si farà, si spera; quanto a me, penso che un re dovrebbe essere già fatto e finito, il giorno che sale al trono, anche se Trott mi ricorda che il giorno dell'incoronazione Elisabetta I e la regina Vittoria erano ragazzette e hanno fatto la fortuna dell'Inghilterra; auguriamoci che il nostro Umberto sia di quella stoffa. O che, almeno, lo siano quelli che ha attorno.

Andremo a dormire, tutti, un poco turbati, ecco quello che capiterà; a furia di parlarne, e berci sopra cognac, a furia di pensare cosa sono stati questi anni di guerra e di perplessità, ognuno di noi vacilla un po' nelle proprie convinzioni; in fondo è naturale, non siamo stati educati ad avere una passione civile o politica. Tutt'al più abbiamo paura, che le cose cambino, che il nostro paese diventi – come dice Carlino – uno stato socialista.

Da sempre, le nostre idee ci stanno appiccicate in maniera precaria; chiamiamole piuttosto consuetudini, e le difenderemo con passione. Sappiamo conservare, non mutare; c'importa più dei cavalli, e del vino, e che le ragazze si sposino bene; così è stato in casa mia, così m'immagino sia accaduto anche in casa d'altri.

È quel che capita a una generazione, la mia; di sintonizzarsi alla radio, e berci sopra cognac, non sapendo dove saremo domattina.

Oddone passeggia avanti e indietro in salotto, bevendo a piccoli sorsi. Sembra soprappensiero. Poi ogni tanto sbotta: "Questa è storia!", e ancora: "Questo è teatro! E del miglior teatro! Eccoci qui. Siamo tutti col fiato sospeso. Chissà se domattina saremo ancora marchesi e conti? Non è straordinario? Ecco... Forse stiamo affondando... come quei disgraziati del *Titanic*, tutti a sentire l'orchestrina mentre la nave cola a picco. Che metafora straordinaria... E anche noi, in questo bel salotto, a chiacchierare, e magari, paf!, nel giro di qualche ora i nostri titoli diventeranno paroline in disuso, buone solo per raccontare le fiabe ai ragazzini – e cosa ne sarà del gatto con gli stivali, ci avete pensato cosa ne sarà di quel gatto disgraziato senza il marchese di Carabas?".

Carlino s'innervosisce:

"Ma, diamine, Oddone, chi vuoi che ci privi del marchese di Carabas? Sopravvivrà a qualunque votazione, a differenza di te, credimi".

Mi guardo intorno: Iris è intenta a intrecciare le frange dello scialle che ha sulle ginocchia, Carlino scalda il cognac nel bicchiere, Oddone passeggia e Nina sta accovacciata a gambe incrociate, nell'angolo di un sofà. Hanno da trascorrere insieme un paio di giornate in campagna, da me; andando a cavallo, facendo passeggiate, chiacchierando. E questo è tutto.

È meravigliosamente semplice, non pare anche a me? Ha ragione Oddone. Questa potrebbe essere l'ultima sera della monarchia. Me ne importa? Mi sforzo di riflettere e di non avere un giudizio di parte, viziato dalle memorie o dai timori, ma non riesco a partecipare alla tensione collettiva come vorrei; la mia unica preoccupazione – che tengo per me – è che se domani il terreno, dopo le piogge incessanti di ieri, non si sarà finalmente asciugato, non riuscirò a portare i miei amici in passeggiata. Ho studiato un bel percorso, di un paio d'ore almeno. Ma non voglio rischiare i cavalli su un terreno sdrucciolevole.

Provo un po' di vergogna per la mia leggerezza; sono nata a Torino, non lo dimentico. Come potrei?

Per anni, mio padre prima, Villaforesta poi mi hanno ripetuto:

"Torino è la culla della famiglia".

Come se questo avesse dovuto rendermela più cara. I ciechi erano loro, mio marito e mio padre, a non capire che Torino l'amavo già abbastanza, e non come culla di chicchessia, ne amavo i viali di platani e le ombre sotto i portici.

Dovrei sentirmi legata a Torino perché i Villaforesta sono di lì? Perché il mio cognome di ragazza è torinese come i cioccolatini e il vermouth?

"Tu sei nata a Torino, e appartieni a Torino, oltre che a

me. Non puoi andartene. Sei ancora mia moglie, non dimenticarlo. Non riuscirai a occuparti delle cascine. Non sei capace. Non sei una contadina. E la terra non è un gioco di società. Affogherai nei debiti, e non sarò io a trartene fuori, tienilo bene a mente," sta dicendo Villaforesta, mentre chiudo la porta dell'appartamento di via Assietta. È venuto a vedermi partire. Giù in strada c'è una macchina che mi aspetta, carica di tutti i miei bagagli, per portarmi a Firenze, e di lì, alla Bandita.

Il viaggio in macchina è un regalo, tardivo, di mia madre; ha deciso che mi ha visto soffrire troppo, o le hanno riferito che la Villaforesta di oggi è una puttana di bordello che indossa i vestiti di sua figlia?

Mi manda alla Bandita con il suo autista; ma la nostra automobile non è molto nuova, e neanche veloce, sarà un viaggio d'inferno. Non sono queste le parole esatte che adopera mio marito nel salutarmi: mi pare, piuttosto, che dica:

"Va' all'inferno".

E, dovunque sia, ci vado volentieri.

Tutto oggi mi pare preferibile a restare ancora qui, "nella culla della famiglia".

Quando ero bambina, sul pianoforte a coda c'erano una fila di cornici d'argento o di velluto, decorate in cima dalla corona chiusa: le principesse reali con in braccio cagnetti arruffati, i giovani principi e i duchi in uniforme, con quelle espressioni così serie – tutti piuttosto malinconici e magri. Né dimentico che la nonna e la bisnonna sono state dame di corte della regina e delle varie duchesse; le seguivano a Stresa, a Roma, ad Agliè, sopportandone i capricci con rassegnazione; e, a compensarle, il loro nome appariva negli almanacchi di corte.

Nel cofanetto di cuoio, se non li ho perduti, ho ancora gli orecchini di zaffiro regalo della principessa Maria Adelaide per il mio matrimonio. Alla funzione religiosa, che segue di tre giorni le nozze civili, c'è un folto drappello di reali: le Loro Altezze Tommaso, duca di Genova, il duca e la duchessa di Pistoia, il duca di Bergamo e la principessa Maria Adelaide; mi fa da testimone il duca di Pistoia, cui Francesco non toglie gli occhi di dosso per tutta la durata del ricevimento – gli invidia, credo, il taglio perfetto della redingote. (Enrico se ne accorge e mi canzona, neanche tanto sottovoce: "Ho l'impressione che il tuo novello sposo preferisca, alle tue, le grazie di Pistoia".)

Il conto, in realtà, mi pare saldato; i miei antenati hanno combattuto per i Savoia; qualcuno c'è persino morto, o s'è azzoppato. Hanno anche pagato, sovvenzionando le piccole o grandi scaramucce reali con i vicini, che sono servite a costruire un regno.

Come ringraziamento sono stati infeudati; il che comporta, fra l'altro, il diritto di farsi ricamare la corona di conte sulla biancheria da letto o di farsela stampigliare sul biglietto da visita, e di aggiungere al cognome il toponimo di qualche paesetto dell'Alta Langa o del Monferrato.

I cugini del re vengono ai nostri matrimoni e ai nostri funerali.

Le principesse reali talvolta si fanno vedere ai pranzi di mia madre, creando un certo scompiglio nel placement, per questioni di etichetta: un'Altezza Reale siede sempre al posto del padrone di casa, e così tocca risistemare il tavolo; mia madre sbuffa, incerta se essere lusingata di venire, come lei dice, *repondue*, o seccata dal parapiglia.

Quanto a me, Monferrato e Monregale sono i nomi che ho dato a due dei più cocciuti cavalli che ho avuto da quando abito qua; e che adesso sono giù nella scuderia, pronti per essere sellati, per domani.

II.

La radio è sintonizzata fin da stamattina. Siamo tutti in attesa. Fuori, nel corridoio, sento i passi di qualcuno che si muove. Dev'essere Novella, che posa per terra il vassoio della prima colazione, come si farebbe in un albergo. Non entra più in camera mia, da quando non dormo sola. Insieme ai suoi passi se ne sentono degli altri, più leggeri e irregolari.

"Shhh!" bisbiglia Novella, a qualcuno. Le risponde un piagnucolio, seguito da un tonfo, come se fosse caduto qualcosa di imbottito. Dev'essere la bambina di Novella, che ha poco più di un anno e la segue come un'ombra.

"Shhh!" dice di nuovo Novella, e questa volta la bambina ubbidisce.

"Dormono tutti, mica come te, che ti svegli col sole."

Ridono tutte e due, madre e figlia, e i passi s'allontanano. Non so se cercare di riaddormentarmi.

Mi rigiro nel letto.

Non riesco a riprendere sonno, filtra già tanta luce dalle persiane.

Smorzata dalla distanza mi arriva l'eco di voci diverse, Novella che grida dietro alla bambina, penso, o che chiama Mario per un caffè.

Più tardi andremo a fare una passeggiata a cavallo. Non voglio stare incollata alla radio tutto il giorno. E per nulla al mondo rinuncerei a una cavalcata nel bosco, in una giornata bella come oggi, nell'aria che sa già d'estate.

Gli altri, che facciano come vogliono; in attesa di notizie, ora dopo ora, con la radio accesa. O fuori con noi, giù dalla querceta, verso Monteti. Quando si è in cima, ci si volta e si vede tutta Siena, e San Gimignano, e quel fumo lontano e bluastro, che è Volterra. Questo, mi dico, è il senso del nostro privilegio; che si sia arrivati fino alle soglie della maturità senza avere nemmeno la percezione di essere stati, fino a questo punto, dei privilegiati.

Sono ancora sdraiata a letto. Ho voglia di fare l'amore. Così, senza trucco e con i capelli sparsi, ancora tiepida di sonno. Accavallo le gambe sotto il lenzuolo e mi giro a guardarlo, ma non dico nulla. Provo un po' di imbarazzo. È una giornata che passerà alla storia, si saprà quale assetto gli italiani hanno scelto di dare al loro paese e io ho solo voglia di fare l'amore. Ho sempre optato per le piccole cose. Come una che degli affreschi guardasse solo i dettagli. Trott mi accarezza e io m'irrigidisco. Tutto si tende in me, i muscoli, il seno, e scavallo le gambe ancora nascoste dal lenzuolo.

"Non mi dai un bacio?" gli domando, a voce bassa.

Non mi risponde. Ma, sempre guardandomi, continua ad accarezzarmi.

Fuori, vedo le cime dei meli in pieno sole, sento i rumori estivi della campagna, il suono monotono di una trebbiatrice in un campo.

Resto immobile, non voglio che smetta.

Lui fa apparire ogni cosa così estremamente semplice.

Trattengo il respiro.

"Tu mi vuoi da morire, non è vero?" mi chiede, poi si china su di me. Cerco qualcosa da dire.

Qualcosa del tipo:

"Certo che ti voglio. È qualcosa che non si può scegliere. Accade, e basta," e invece sale alle labbra solo un silenzio, che mi fa apparire impacciata e non sensuale come vorrei.

Lui mi bacia e poi si scosta, mi accarezza i capelli, mi scruta:

"Lo sapevo. È impossibile non accorgersene. Tu parli, con gli occhi".

III.

Ho aspettato tutta la mattina, prima di decidermi ad aprire la lettera che Dino mi ha portato.

Ho riconosciuto, a distanza di mezzo secolo, la grafia, diventata appena un po' incerta.

Poi mi sono fatta coraggio.

L'ho letta.

Poche righe e mi sono resa conto che, di coraggio, non me n'ero fatta abbastanza.

Inizia così, "Carissima", una parola qualsiasi che adesso mi pare una staffilata.

Carissima,
mi è permesso ancora chiamarti così, dopo tutti questi anni?
Non vorrei turbarti, uscendo dal silenzio come uno di quegli spettri malinconici che a teatro ti facevano sobbalzare sulla poltrona; già mi sento in difetto, poiché approfitto della presunta serenità del tuo spirito per sottoporti una mia questione personale. Sorvolo, rapidamente, sui dettagli: mi hanno visitato la settimana scorsa, per alcuni malanni che stentavano a guarire, e mi hanno trovato ogni possibile acciacco. Non me ne lamento: sono lucido e relativamente autonomo, mio figlio Aimone è un buon avvocato. Jole è morta dieci anni fa, come forse avrai saputo; e, se non posso dire che ho fretta di raggiungerla, nemmeno posso dire che ne ho orrore.
Brevemente: mi hanno dato qualche mese di vita, e mi sono rassegnato. Posso accomiatarmi con calma, sistemare le mie faccende, ed ecco la ragione di questa lettera. Premetto che, se anche talune espressioni di ciò che sto per dirti ti sembrassero aspre, non è così. Mentre scrivo, il mio viso dev'esser certo bonario com'è il mio cuore. Ti dico di più: quando trovo il tempo di rivolgermi per lettera alla mia stramba moglie, trovo anche e sempre il modo di svagarmi dai miei pesanti pensieri; non meravigliarti, ti prego, se con quest'ultima frase ti sembrasse d'aver capito che di lettere te ne ho scritte più d'una, in cinquant'anni. Non sei ammattita; non ancora: queste sono le sole parole d'inchiostro che tu abbia ricevuto da me. Ma sono infinite le lettere che ti ho scritto, col pensiero, in tutti questi anni. Di volta in volta erano piene di rabbia, tenerezza o vero dolore; talvolta erano pagine e pagine di proteste, per come te ne sei andata, come mi hai lasciato, senza mai, mai, darmi un ap-

pello. Aimone direbbe che le lettere pensate non valgono nul-
la; e sbaglierebbe, perché spesso assorbono molta più energia di
quelle che nascono sul piano dello scrittoio, e lì muoiono, una
volta spedite; le lettere immaginarie che ti ho scritto io hanno
assorbito ore e ore che altrimenti avrei sciupato in chissà quali
inutili occupazioni. Tu non lo sai, ma ti ho scritto camminan-
do sul marciapiede, mentre bevevo un caffè da Platti, o ero nel-
la vasca da bagno, al ballo annuale dell'Accademia Filarmoni-
ca o ascoltando un concerto.

Persino ora, che sono costretto a parlarti di cose non esat-
tamente gradevoli, le parole mi escono rapidissime dalla pen-
na, senza alcuna inceppatura, cosa che non accadrebbe, riten-
go, se non t'avessi scritto mai. Ti basta, come prova della mia
fedeltà?

Ma vengo al punto obbligato. Certamente ricordi che ci spo-
sammo, a Torino, nell'ottobre del 1928, e non avrai dimentica-
to nemmeno, immagino, che dopo la nostra brusca separazione,
decidemmo di comune accordo – una volta tanto! – di non far-
ne nulla di ufficiale. Significa, mia cara, che sei tutt'ora la mia
legittima consorte. Sta' tranquilla: abbiamo così tanti anni, fra
tutti e due, che non te lo dico come una minaccia, ma come una
semplice constatazione. Questo fa di te la mia legittima erede,
per quanto almeno non è destinato, dalla legge e dalla mia stes-
sa volontà, a mio figlio. Non reclamo nulla che tu possieda, per
carità: sei partita lasciando i gioielli di casa mia sullo scrittoio, i
tuoi abiti nel vestiaire – quelli avresti proprio dovuto prender-
teli, soprattutto l'abito da sera di Schiaparelli che ti avevo rega-
lato a Parigi. Ti stava d'incanto e ti faceva sembrare luminosa
come una Madonna quattrocentesca; non ti ho mai visto bella
come in quel vestito, e spesso ti ho immaginato così, ben sapen-
do che invece hai passato buona parte della tua esistenza in pan-
taloni da caccia e stivali di cuoio. E infine, per blandire la tua ci-
vetteria, se ancora ve n'è rimasta traccia, lasciati dire che a Jole
non è mai stato bene come a te, anche se diceva di non aver mai
indossato nulla di più sontuoso in vita sua. Persino il piccolo ac-

133

cendisigari con il tuo nome inciso – e quello era davvero un regalo personale! –, lo hai lasciato sdegnosamente sulla console d'ingresso. Sai cosa ne ho fatto? Seppi, per caso, che la moglie del podestà di Vercelli si chiamava come te, e glielo mandai per Natale; pensò che l'avessi fatto incidere apposta per lei e ne fu commossa al punto da indurre il marito e i suoi tirapiedi a lasciarmi finalmente in pace, senza più scocciarmi con quelle pagliacciate dei raduni in camicia nera.

Credo di non ledere la dignità del mio spirito – e della tua morale – se ti prego di rinunciare, per iscritto, alle poche briciole rimaste del mio patrimonio che ti spettano legittimamente; non intendo scadere nella rozzezza di paragonare la tua situazione economica alla mia; ciascuno di noi ha vissuto come ha desiderato – o come meglio ha potuto, che non è palesemente la stessa cosa – e ne è responsabile davanti a se stesso e all'Onnipotente; io, però, ne sono responsabile anche davanti ad Aimone, che mi ostino a chiamare il mio ragazzo anche se ha quarant'anni suonati. Non ho bisogno di dirti che, da sua madre, Aimone non ha avuto che il carattere lieto e la fossetta sul mento; tutto il resto avrebbe dovuto riceverlo da me, e se io non sono stato un oculato amministratore dei miei beni, e me ne vergogno, considero oggi questa mia lettera a te come la più avvilente delle punizioni; perché, credimi, non c'è mai stato un momento, in tutta la mia vita, in cui io mi sia sentito tanto indegno del cognome che porto. Ti prego di usare un po' d'indulgenza verso un marito caduto in sfavore – ma mi accorgo, dopo averlo scritto, che non c'è stato un solo giorno in tutta la tua vita in cui io sia stato ai tuoi occhi in posizione di favore – e di credere che sono spinto a questa mortificante richiesta solo dal desiderio di non sottrarre ad Aimone altri beni, oltre a quelli di cui io stesso l'ho già derubato in tanti anni di gestione delirante del mio patrimonio. Aimone è un figlio illegittimo, si sarebbe detto ai nostri tempi con un certo disprezzo. Sua madre e io non ci siamo mai sposati, com'è ovvio. Ma forse non sai che è stata una compagna affettuosa e fedele, materna, pacata, gra-

devole. Per questo mio figlio illegittimo io provo un affetto smisurato, assoluto, totale, dal giorno che la levatrice me l'ha messo in braccio; e guardandolo in viso – poiché gli occhietti li teneva serrati come uno che di luce, di mondo, di famiglia non volesse nemmeno sentir parlare – mi scoprii a pensare che a quel bambino sconosciuto io avrei voluto dare ogni cosa, non solo del mio, ma qualunque cosa m'avesse chiesto, qualunque ricchezza esistesse sulla Terra.

Non prendere questa lettera come il vaneggiamento di un vecchio; o, se vuoi, fallo pure, ma renditi conto che questo vaneggiamento è colmo di rispetto e devozione per te, ancora vivi, dopo tanto tempo; e considera, te ne prego, questo scritto un omaggio reso alla tua sensibilità di donna intelligente: una delle poche alle quali può riuscir utile scrivere con un tono di tipo non comune. Del resto, tu stessa non hai mai avuto nulla di comune, fin da ragazzina detestavi i tè danzanti, dove vi obbligavano ad andare per imparare il valzer e la quadriglia, e invece correvi dietro a tutto quello che era anticonvenzionale; ti definivi un'eccentrica; ma scusami se adesso, per una volta, te lo dico: quelli erano trucchi da teatranti di provincia.

La lotta alle convenzioni, alle ipocrisie, come la chiamavi tu, passava già allora per altre vie; e vi passa ancora. A Torino, negli anni trenta, erano infinite le strade che ti si sarebbero aperte davanti, se tali vie tu avessi voluto percorrerle davvero; tanto più che eri giovane, bella, ricca, intelligente. Tu fingevi che né io né tuo padre t'avessimo capita; e sbagli. Tuo padre ti comprendeva benissimo, ma la sua natura lo faceva propendere per osservare più volentieri la burrasca da lontano, che non per trovarcisi in mezzo. Tu l'avresti definita vigliaccheria. È una parola grossa; tuo padre era un uomo dell'Ottocento prestato al Novecento, ai suoi lutti, alle sue barbarie, senza averne dimestichezza e uso; con te, non sapeva che fare. Sotto la tua bella fronte vedeva incresparsi venti di tempesta, che minacciavano maltempo; e cambiava rotta, per portare in salvo la nave, come s'impara a fare in Marina. Ti regalava un cavallo, ti spediva dai nonni in Toscana, chiudeva un occhio quando gli riferivano che, invece di andare a colazione dal tal dei tali, sfidavi un tempaccio da lupi per fare una gita a cavallo a Moncalieri, a Pecetto o dovunque tu andassi più o meno di nascosto. Quanto a me, la tua stramberia mi incuriosiva; ti stavo a guardare, come si osservano i puledri che dimostrano di aver carattere ed energia: sono un piacere per gli occhi. Ti guardavo, e pensavo: un giorno capirò, un giorno addomesticherò queste baldanze, e questa donna fuori dal comune mi addolcirà la vita. Non è andata così; la vita non me l'hai addolcita, bensì avvelenata, come io del resto ho fatto con te. Quand'è che tutto il sole è virato in pece scura, e la nostra casa è diventata la Babele di cui parla la Bibbia, dove non riuscivamo più a intendere l'uno le parole dell'altra?

Di questo, ti chiedo perdono. Di averti rovinata la vita, come meglio non avrei saputo fare se ci mi fossi messo con impegno luciferino; e il grottesco è che è capitato per caso. Non avevo alcuna intenzione di diventare carnefice, né tuo né di nessun altro. Non ci ero tagliato. A me piacevano i cavalli, ricordi? Era tutto quello che avrei voluto fare, occuparmi di cavalli e vivere in pace. Tu anche avresti voluto vivere così, ma pensavi che, per arrivarci, avresti dovuto abbattere dei muri. Ma dov'erano quei muri? Ti sei mai resa conto che pensavi di vivere sotto assedio, ma che attorno a te non c'era nessuna muraglia, di nessun tipo? Voltati indietro, e ricorda la ragazza che eri; guardala, la tua lotta alle convenzioni, con gli occhi saggi che certamente hai oggi.

Cosa vedi?

Posso dirtelo io?

Vedi una ragazza che lotta per delle sciocchezze. Intuisce che attorno a lei qualcosa non va ma è troppo pigra per esercitare appieno la sua intelligenza, ama i suoi privilegi, non può immaginare di farne a meno. Mia cara, la tua battaglia di allora si riduce a ben povera cosa. La potremmo riassumere in due o tre capisaldi fondamentali, quali non uscire di casa con il viso incipriato

o vestirsi sempre sottotono, quale che sia la ricorrenza, e natu-
ralmente rifiutarti di venire a letto con me. Perdona la brutalità,
ma sono a un punto della vita in cui devo arrivare al sodo (pren-
dila, se vuoi, come una necessità naturale e biologica).

Ti prego dunque di considerare con serenità e imparzialità
questo mio scritto, e di tener conto che mentre leggi queste pa-
role io ti sto guardando con occhi infinitamente affettuosi, an-
che se quasi di soppiatto, con quella ritrosia che si ebbe sempre
in casa Villaforesta a palesare troppo la propria segreta dolcez-
za; mi hanno insegnato a tenere molto alla severità del volto e
del portamento, e fin da ragazzo traevo sollievo solo da solitu-
dine e silenzio. La mia natura e la mia educazione mi impone-
vano dunque di nascondere il mio affetto: ma questo anche per-
ché il mio spirito e la mia naturale inclinazione esigevano espres-
sioni adeguate ai miei sentimenti per te. Non hai mai desidera-
to scrutare con attenzione attraverso i miei molti difetti; non hai
mai nemmeno voluto ipotizzare che io avrei potuto essere il tuo
amico migliore, un alleato, un sostegno. Dal giorno stesso in cui
tuo padre ti ha fatto il mio nome, io sono divenuto ai tuoi occhi
il nemico da abbattere. Con le tue armi, s'intende; e le hai scel-
te con cura, come un tempo si sarebbe fatto prima di un duello,
quando la scelta andava fatta valutando l'abilità dell'avversario,
la condizione del clima, le proprie doti; né si poteva azzardare
altrimenti, poiché ne andava della propria sopravvivenza.

Abilmente, con il silenzio, l'indifferenza, la freddezza, mi
hai ridotto al tappeto. E non c'era nulla che avrei potuto fare
per ribellarmi; nulla che fosse consentito a una natura aspra e
orgogliosa quanto la mia. Che vuoi, il principio che allora mi
tiranneggiava era: o tutto, o nulla. Tra il tutto e il nulla, oggi
so che vi sono infinitesimali sfumature. So che, invece di ten-
tare di squarciare la tua corazza, avrei dovuto accontentarmi de-
gli spiragli che, qui e là, avrebbero forse potuto aprirsi sotto la
dolcezza dei miei sguardi, qualora avessi imparato a palesarmi.
Ma non si può chiedere a un brocco di vincere il Grand Natio-
nal, e sono certo che concorderai con me sull'efficacia della me-

tafora... Oggi, forse, potrebbe esserti più facile scoprire che, al di là dell'opinione fosca e caricaturale che ti facesti di me, esistono invece un cervello e un animo che sono un po' meno leggeri di quanto tu credessi. Ma oggi naturalmente è tardi, anzi, è tardi da più di cinquant'anni. Può essere poco generoso, adesso, ricordarti questi tuoi atteggiamenti, sebbene io pensi che furono assai meno generose, allora, le tue attitudini nei miei confronti; ti rifiutavi di prendere in considerazione la possibilità – soltanto la possibilità! – che io fossi un uomo diverso da quello che ti eri raffigurata, da colui che con tanto raccapriccio osservavi quando ti s'avvicinava per accarezzarti una guancia, stringerti in un abbraccio. Quanto disprezzo ho visto in quei tuoi begli occhi, smisurato e profondo, pari forse soltanto al mio sdegnatissimo orgoglio, che si placava un poco, solo un poco, infliggendoti meschine cattiverie. Tu le consideravi offese; si trattava, ora posso scrivertelo quasi serenamente, di semplici difese. Mi viene da sorridere al pensiero – e qui conchiudo il racconto di questo nostro caso personale – che questa lettera potrebbe causarti qualche perplessità; non voglio dire qualche turbamento, mi parrebbe una troppo grande pretesa. E chissà che io, improvvisamente, non appaia ai tuoi occhi una versione riveduta e corretta di quel brutale carnefice che già ebbe l'onore di avere la tua mano. I tuoi occhi! Quante alterne vicende di acume e opacità in essi, e in pochissimi anni!

In ragione di come fosti con me un tempo, io non ti nutro, non ti so – anche se volessi – nutrire più alcun rancore. Quel tuo gelido riserbo miscelato a disprezzo e indifferenza ha provocato ferite oramai cicatrizzate. La vecchiaia serve pure a qualcosa, quando smussa e addolcisce i vecchi attriti.

Ti chiedo scusa per l'impressione che può averti recato qualche mia fiera parola in questo lungo scritto. Le cose scritte, mi accorgo sempre più, raramente recano quella morbidezza e quel calore di perdono – chiesto, e concesso – che si vorrebbe.

Spero con fervore che tu mi scriva la lettera che attendo, non rifiutando, a causa del tuo odio per me, la richiesta che ti ho fatto per amore di mio figlio; la vita, te ne sarai accorta anche tu, laggiù in campagna, spesso ci costringe a certi impasticciati compromessi di sentimenti, inverosimili persino nei romanzi d'appendice; e questo è uno di quelli.
Conto su di te perché queste mie righe non abbiano altro giudice che la tua intelligenza.
Ti bacio la mano

Francesco

IV.

Ho riflettuto a lungo.

Ho dormito di un sonno piuttosto agitato, e stamani ho mal di testa. La Santa mi porta due Saridon, mi dice di prenderli a distanza di qualche ora, ma io conosco una medicina più efficace. Chiamo Dino, che non si preoccupi se quando arriva non mi trova alla scrivania – non sono fuggita –, i conti li faremo più tardi. Del resto, "A pagare c'è sempre tempo," mi canzona sempre lui. E io me ne vado dall'avvocato Ricorsi.

Sta meglio, è tornato vispo e arzillo come prima. I vicini sono passati a salutarlo e gli hanno portato dei dolcetti da Lucca, che non gli piacciono, mi dice con un tono complice, "ma è carino che abbiano avuto il pensiero".

Non ho tempo per i convenevoli, e glielo dico; mi serve un parere professionale. Mi guarda, stupito, con un sorrisetto spiritato, saranno dieci anni che nessuno lo consulta più.

Gli tendo una lettera, che ho buttato giù in fretta e furia, su certa carta quadrettata di quaderno, scritta a biro. A macchina non ci so scrivere e non voglio che nessun altro, al di fuori di Ricorsi, sappia quel che c'è scritto.

"Senta, avvocato, guardi un po' se va bene, non so se va

fatto così, se devo firmare davanti a lei come mio testimone, oppure no, se devo andare dal notaio, insomma non lo so. Mi dica lei."

"Come? Che vuol sapere? Dica."

"Legga. Qui c'è scritto cosa va a chi."

"Cioè? Sarebbe un testamento?" dice, incredulo, Ricorsi. E poi, curioso: "Lei?!".

E sorride, da vecchietto rincorbellito qual è.

"Su, non ci si diverta tanto. Almeno lei, si sforzi di prendermi sul serio, che nemmeno io so perché l'ho fatto."

"Be', l'avrà fatto per l'età. Mi perdoni, le nostre estati le abbiamo passate, lei e io."

Lo atterro, con un'occhiata.

"Mi scusi. Chissà perché mi prendo certe libertà..."

"Proprio. Chissà perché se le prende."

Fingo di non vedere che mi ha fatto cenno di sedermi. Voglio chiuderla alla svelta, questa faccenda. Ricorsi dà un'occhiata al contenuto della mia lettera, poi mi guarda dritto e dice:

"Ma come! E io credevo... tutti credevamo... scusi, ma...".

"Avvocato, è proprio parecchio che non esercita più! Si è scordato persino certi basilari rudimenti di deontologia professionale, e adesso addirittura si mette a commentare... è ammattito?"

Ricorsi diventa paonazzo, tanto che per un attimo penso che gli stia venendo un malanno, ma si riprende e mi assicura che ci penserà lui a mettere tutto in chiaro, perché non ci siano dubbi o incertezze su quel che voglio o non voglio fare. Ci salutiamo, un po' freddamente. Sulla porta Ricorsi mi dice, vincendo un certo imbarazzo:

"Mi perdoni... ho mancato di tatto e competenza... È che credevo... credevamo tutti... visto il suo affetto per Dino... voglio dire... la Bandita...".

Questo Ricorsi ha il potere di irritarmi come nessun altro.

"No. Non è così. La Bandita *è mia*. Più che di chiunque

altro, mi creda. Sono arrivata qui che avevo appena trent'anni, e non me ne sono mai andata via; le vede queste colline, i boschi, la vigna? Gliel'ho già detto una volta. Sono miei. Sono più che miei. Sono io."

"Come?"

"Guardi con attenzione, avvocato. Be', è me che sta guardando, non un panorama. Sono queste colline, la casa e la torre, il pozzo e gli olivi. Io sono la vigna e il vino in botte che c'è in cantina."

Ricorsi si stringe contro lo stipite della porta, come per ripararsi dal freddo pungente di questa mattina.

"Non lo vuole un po' di caffè?" mi domanda querulo, quasi supplicante. Sotto le narici gli brilla un piccolo lucore, come di un raffreddore che inizi, e improvvisamente provo una gran pena per lui, così vecchio, solitario e ossequioso come un lacchè. Perché non mi manda al diavolo, con tutte le mie impertinenze, con i miei toni bruschi, come mi meriterei? Eccolo, il miracolo di Ricorsi, aver passato tutta la vita come un palombaro nel suo scafandro, protetto dal mondo da un impenetrabile filtro che smorza tutto quello che lui non vuol sentire, che appanna tutto quello che non vuol vedere, che ottunde i sensi e rallenta le reazioni.

"Ma sì, un caffè lo prendo volentieri," gli dico. "Se lo lascia fare a me."

Sulla scrivania in disordine c'è il mio scritto. Ricorsi lo indica:

"Sicura?".

"Lo sa, avvocato," gli rispondo, "che quando sono arrivata qui sola..."

Vorrei dire a Ricorsi di mio fratello, che aveva gli occhi scuri dei Barrinechea e una risata allegra che in casa nostra non si era mai sentita. Vorrei dirgli di quel dolore che non sapevamo far uscire fuori, nessuno di noi sapeva; non si poteva manifestare nulla, e perfino a pochi giorni dalla sepoltura simbolica – lui era arrivato dall'Africa solo molti mesi dopo, per intoppi burocratici e altre storie, a bordo di un cargo inglese, trasportato in mezzo alle balle di cotone egiziano, alle noci di cocco e a chissà quali altri "articoli coloniali" – non si poteva piangere in pubblico, né mostrare gli occhi arrossati. Se capisse, gli direi che tutte le lacrime – e non solo quelle per Enrico – che non possono solcarti le guance se ne vanno da un'altra parte, scavano dentro, sotterranee come certi fiumi, anzi, incanalate così hanno una forza e una violenza che brucia e corrode, consuma il cuore e allappa il cervello come i cachi acerbi.

"...era di domenica. Ado, il fattore di allora, era salito in cima al campanile, a suonare la campana. Era il suo modo di farmi sapere quanto era contento che finalmente alla Bandita fosse arrivato un padrone. Venivo da Torino, sopra una scomoda automobile con un mucchio di bagagli e di inquietudini, impolverata da una strada pessima e non sempre asfaltata. Ero più morta che viva, spaventata anche dalla mia ombra. Tutto, qui attorno, mi piaceva; questo posto, pensavo, è qui per me; è *sempre* stato qui per me; credevo di provare per questi luoghi l'attrazione inspiegabile che si prova per un amante; e, mi creda, so di cosa parlo."

"Ma qui morivamo di fame, lo sa, contessa, e se si scendeva sotto, verso la costa, in Maremma, si moriva di malaria."

"Vede, Ricorsi, sono invecchiata rapidamente, un secolo mi è sgusciato tra le dita in un soffio. Quando mi guardo indietro, mi pare di aver avuto vent'anni fino a ieri l'altro. Ne ho invece più di ottanta, anche se tutti si fa finta di non pensarci. Come si dice nel calcio, siamo giocatori in panchina, lei e io; in attesa di uscire, però, non di giocare. Devo dirle comunque, con franchezza, che il cambiamento più grosso, più imprevedibile, è quello che è accaduto qui. Se la ricorda com'era la Bandita? Guardi adesso. Uno spettacolo. A volte ho pensato che non ce l'avrei mai fatta. Troppo duro, un lavoro da uomo, troppe rinunce. E invece... finiva che annusavo l'aria, come un cane da caccia. Guardavo come la luce del sole muta i colori, ascoltavo tutti i suoni che sono nascosti nel silenzio; tantissimi, sa? Da non credersi, quanti. Più dei profumi nel vino."

Quando ricomincio a parlare, dopo aver messo sul fuoco la macchinetta del caffè, Ricorsi mi guarda fisso.

"Crede che sia così sbadata da non essermi accorta, in tanto tempo, che anche Dino condivide la mia passione per la Bandita? Crede che io non veda, che la cataratta m'abbia offuscato anche l'intelligenza, oltre allo sguardo? Sbaglia. Lo so bene, e meglio di lei. So tutto di Dino, io. Tutto."

Ricorsi si stropiccia le mani, e s'interrompe:

"Scusi se glielo chiedo, ma perché non è andata a cercarsela altrove un po' di contentezza, *lei* che *poteva*?".

"Ricorsi, la contentezza consiste di sciocchezze, s'accontenta di sciocchezze, e dipende da sciocchezze... e... bisogna esserci portati, come per la musica... o per trovare porcini tra i quercioli, come lei. Tutto qui. Faccia in modo che le mie volontà siano rispettate, usi i cavilli che crede. Voglio che la Bandita sia divisa a valle di Santa Delfina; fa circa duecento ettari di proprietà per Dino, con annessi i poderi, e cento per Aimone Villaforesta; e non l'ho mai visto in faccia, questo signore. Quanto a lei, ci metta tutti i vincoli che crede, le lascio carta bianca; che questo Villaforesta non possa venderla, la mia campagna, ad altri se non a Dino stesso o ai suoi discendenti. Ci sarà pure un vincolo giuridico che lo consenta; che vuole, c'è da far così."

"Ma..."

"Insomma, avvocato: mi sono resa conto che esiste la probabilità – non dirò la certezza – ch'io abbia fatto un bel po' di danni, e insomma, s'invecchia, ci si rammollisce e non me ne do pace."

"Uhm. Sapesse le ingiustizie e le crudeltà che ho visto fare io, in cinquant'anni di professione. Mi creda, quasi sempre in buona fede," borbotta Ricorsi, a bassa voce. Si guarda attorno come se non sapesse dove posare stabilmente lo sguardo.

"Ma che le prende, avvocato? Non ne faccia un caso personale. Mi sta dando un aiuto professionale, mi pare che sia il suo mestiere. Cos'è che l'agita? Villaforesta? È mio marito, come sa. Di matrimoni disastrosi ne avrà pur visti anche lei, m'immagino. Il mio non è stato un successo, ma questo lei lo sa. Cosa la preoccupa? È Villaforesta che la spaventa? Via, è solo un vecchio signore, rintanato a Torino, che in cinquant'anni non s'è mai fatto vivo. Almeno fino all'altro ieri."

Ricorsi ha un gemito, e arrossisce.

"Cosa c'è, avvocato, si può sapere?"

"Nulla. Nulla, s'immagini. Ecco... sicura che non si sia mai fatto vivo?"

"Sicura, avvocato, più che sicura."

"Cinquant'anni sono tanti. Magari suo marito ha cercato... non si può mai dire... non c'è riuscito..."

Non posso spiegare a Ricorsi cosa provo quando chiudo gli occhi e rivedo Villaforesta immobile davanti a me, mentre gli sto dicendo che me ne vado.

Villaforesta guarda l'orologio da tasca – il mio regalo di fidanzamento – e dice solo:

"Sono già le sei e mezzo. Sono in ritardo. C'è altro da discutere?".

"Credo che andrò via da Torino. Penso di trasferirmi alla Bandita. Penso che sia la cosa giusta da fare."

"La cosa *giusta* da fare?" mi domanda sarcastico Francesco, mentre mi saluta baciandomi la mano.

Sulla porta di casa si tira su il bavero del paletot, e si volta a guardarmi. Non desidero raccontare a Ricorsi questi dettagli. E allora gli dico che forse, pensi un po', agisco per motivazioni del tutto diverse.

Altro che rammollita, mi sento ancora la grinta di un leone, perfino la ferocia, e con questa immeritata donazione voglio dimostrare a qualcuno che sul mio conto si è sbagliato, una, cento, mille volte, che non ha mai capito nulla di me, di quel che fossi, nulla di nulla. Oppure...

"Lascio a lei la scelta di credere quel che le pare, avvocato. Non si metta a investigare le cause, s'accontenti degli effetti. Ecco che con questo scritto consegno qualcosa a qualcuno che me l'aveva chiesta, tanto tempo fa."

Ricorsi mi osserva, scuro in viso, e poi fa qualcosa che, in tanti anni, non aveva fatto mai: s'avvicina, mi prende una mano, e la tiene stretta fra le sue.

Io odio la commozione, qualunque tipo di commozione; e quindi fuggo, strappando via la mano da Ricorsi, e agguanto il giaccone senza voltarmi a salutarlo. Mi sembra di vederlo, alle mie spalle, raggrinzito, che resta perplesso con la mano a mezz'aria, indeciso se seguirmi o lasciarmi partire; e non mi fermo, né dico nulla.

Uscendo di lì, mentre guido lentamente e salgo sui tornanti per rientrare a casa, mi accorgo che il mal di testa è quasi passato, e questo significa che potrò, perfino con una certa energia, dedicarmi agli ultimi preparativi per il mio ricevimento.

Anche se ha appena smesso di piovere, e il cielo è livido come in un quadro del Seicento. Mentre guido, e poi mentre scendo dalla Mercedes e mi avvio verso casa, mi sento leggera e fragile e trasparente come se al posto delle braccia avessi le ali e in mente i pensieri allegri di una ragazzina.

Sto correndo a casa, a scrivere una lettera.

7.

LA FESTA

I.

Trott è chino su di me. Mi sfiora la fronte, il naso, le spalle con un dito leggero come l'ho visto fare quando scopre un quadro di cui s'invaghisce, e con l'indice ne percorre delicatamente la superficie, per sentire non so che strati di vernice e lacca, per individuare rattoppi e ridipinture che non si vedono a occhio nudo. Con me, fa allo stesso modo e con il dito leggero, mentre sono ancora nuda e accaldata, segue il mio profilo, mi chiude in un disegno immaginario e mi ritaglia fuori dallo spazio della nostra stanza da letto. Gli prendo il viso tra le mani. Ha un'ossatura sottile, un volto dai tratti delicati, e l'arco molto arrotondato delle sopracciglia gli dà uno sguardo sospeso, come d'intenso stupore. Le piccole rughe che ha intorno agli occhi, la screpolatura delle labbra e un profondo solco che dalla fronte taglia in mezzo alle sopracciglia e arriva alla radice del naso – quasi un segno a matita, più che una ruga vera e propria –, sono questi i segni del tempo che vedo su di lui, e nei quali mi riconosco, come se mi osservassi allo specchio. Aspetto un bambino. Lo so da due settimane ma non ho ancora avuto il coraggio di dirglielo.

"Sei felice di essere con me?"

Trott non risponde. Riprende a scontornarmi col dito, mi accarezza l'ombelico e lo bacia.

"Sei contento di avermi ritrovata?" chiedo ancora, con un pizzico d'ansia.

"Ritrovata?" mi chiede Trott, sollevando la testa a guardarmi, quasi meravigliato. "Ritrovata?" ripete. "Non ti ho mai perduta. Tu ci sei sempre stata."

Sono io, adesso, a guardarlo meravigliata. Cosa vuol dirmi? Mi ha lasciato dunque ad aspettare tutti questi anni, sapendo che non mi sarei mai mossa, come la pietra miliare sulla curva della provinciale, cui, in un soffio d'anni, sono girati attorno prima i carri del latte e del fieno, poi l'Alfa Romeo blu del conte Martini e gli autocarri dei tedeschi, le jeep americane, e oggi il camioncino di Mario e la corriera per Firenze?

Trott s'è accorto del mio sguardo, e mi si stringe vicino. Mi abbraccia così forte da farmi trattenere il fiato, e poi mi sussurra all'orecchio:

"Sono altre le cose che ho perso, non te. Vestiti, dai. Scendiamo dai nostri ospiti, ci aspettano".

"Il popolo italiano ha fatto il suo dovere." La radio ha detto così.

Vuol solo dire che a votare ci siamo andati quasi tutti.

Il commentatore ha una voce stridula e petulante e dev'essere rimasto a corto di espressioni perché avrà detto dozzine di volte che "le percentuali di voto dimostrano la maturità politica del popolo italiano": dopo mezz'ora che lo ripete, ci spazientiamo un po' tutti e spengiamo.

S'è votato solo ieri l'altro. Se abbiamo fatto tutti "il nostro dovere", per contare i voti ci vorrà almeno fino a metà settimana.

Tanto vale andare a cavallo.

I miei ospiti sono d'accordo con me.

Mario è andato a Siena, e ci passerà la giornata intera; Novella, che deve cucinare per tutti noi, gli ha affidato la figlia.

147

Quanto a Trott, anche stamattina, martedì, invece di venire con noi a fare la passeggiata a cavallo preferisce restare in casa, a trafficare non so dietro a che cosa: lo vedo allontanarsi con la cassetta degli attrezzi e sparire verso la rimessa. Non veste i panni del padrone di casa, non si ferma a intrattenere gli ospiti: trova continui pretesti per restare da solo. Non so se si tratta di una delicatezza formale: la notte dorme con me, ma la notte è zona franca. Di giorno preferisce le chiacchiere con Mario e Novella e passa ore alla vigna.

Mi dispiace che non venga e non mi rassegno.

Gli vado dietro, insisto perché ci raggiunga, almeno più tardi. Ma Trott mi dice che più tardi deve andare a trovare quell'avvocato che lo mette sempre di cattivo umore.

Quando gli chiedo perché, si stringe nelle spalle, poi mi sfiora la guancia con un bacio e mi sorride.

"Vai," dice, "e divertiti."

Oddone pensa che dovrei insistere ancora e fargli cambiare idea, è una giornata tanto limpida.

Ma Oddone non sa che Trott non è uno di quelli che cambiano idea.

II.

Dovrei andare a fare una camminata nel bosco, ma ho certi brividi di freddo. Non voglio ammalarmi, ho organizzato una festa.

Ho deciso d'invitare, per scritto, anche mio marito. Poche righe, cortesi e senza asprezza.

Credo che ci dobbiamo, l'un l'altra, delle spiegazioni.

Non vedo Villaforesta da prima della guerra – non posso considerare una visita quel frettoloso abbraccio che ci siamo scambiati al funerale di mio padre, quando gli occhi di *tutta la città* sono puntati su di noi, e *si capisce* che sullo sfondo tutti s'immaginano la vistosa puttanella di Ciriè con le labbra dipinte che ha preso il mio posto. Non è che Francesco l'abbia patita granché, la guerra. Non s'è arruolato né nascosto nei boschi, ch'io sappia. Tutt'al più gli hanno scombussolato gli orari con quello scomodo coprifuoco, e gli avranno chiuso i battenti dei ritrovi preferiti. Gli hanno incendiato il Club e si sarà dovuto accontentare di giocare alle carte in casa di qualche amico.

Mi risulta che non se ne sia mai andato da casa nostra – al massimo si sarà rintanato in cantina o a Revigliasco, durante i bombardamenti più forti; la legge gli consentiva di restarsene tranquillo a occuparsi dei suoi affari, dato che rientrava nella categoria dei "figli unici con madri vedove a carico" (benché mia suocera Irene non suggerisse esattamente – a nessuno, ma proprio a nessuno – l'immagine di una donnina in gramaglie).

Quanto a me, ogni volta che negli anni sono dovuta tornare a Torino per certe improrogabili ragioni di funerali, eredità o divisioni patrimoniali, ho sempre messo gran cura nell'evitare ogni possibile incontro.

La lettera di Villaforesta sta ancora lì, da qualche giorno, aperta sullo scrittoio, dove l'ho lasciata; ogni volta che giro lo sguardo la vedo, tutti quei fogli rigidi dai bordi frastagliati – potrebbe essere altrimenti, la carta da lettere di Villaforesta? –, quasi un monito, un petulante rimbrotto: ma non mi risolvo a imbustarla e a metterla via in un cassetto, o a stracciarla; diciamo che non desidero prenderla in mano, non desidero essere *costretta* a ricordare.

Sono già sommersa, dai ricordi. Si sono rotti gli argini della memoria, e galleggio a stento, sempre più affaticata. Con la testa, ogni tanto, vado sotto.

La Santa intuisce.

Non so come faccia, a volte, a rendersi conto in un amen se c'è qualcosa che non gira per il suo verso: veloce come una donnola, fa quello che c'è da fare, chiama suo figlio con una scusa e me lo lascia gironzolare fra i piedi. Tutta casa

149

mia, per quel bambino, è un castello incantato, pieno di angoli scuri e sorprese, uccelli impagliati, teste di cinghiale dalle zanne ingiallite ma ancora spaventevoli, grosse chiavi di bronzo che aprono non si sa più quali serrature, persino un paio di fioretti dal manico d'argento appesi in trofeo al muro, e Tommaso s'infila dappertutto e con i suoi sorrisi mi riporta sulla Terra.

"Cosa vorresti, per Natale?" gli chiedo.

"Un fucile subacqueo," risponde pronto.

"A Natale? Ne sei sicuro? A Natale non si può mica andare a pescare."

"Non si sa mai," risponde, "è meglio avercelo."

III.

Otto persone. Nina, suo nipote, Iris e Carlino, Oddone e Trott. Ricorsi, io.

Nove se Villaforesta riceve per tempo il mio invito, e se lo accetta.

Abbiamo tirato fuori un tavolo tondo dove ci si siede comodi anche in dieci. Penso di adoperare i candelabri d'argento peruviano che ho avuto da mio padre; non sono belli ma sono abbastanza alti per reggere la ghirlandina di foglie e pigne che la Santa sta finendo di intrecciare. Non aveva mai intrecciato una ghirlanda: però ha imparato davvero alla svelta, una volta che le ho svelato i miei trucchi. Credo comunque che la Santa consideri intrecciare ghirlande un inequivocabile segno del mio rimbambimento; probabilmente, non vede dove sta il punto: potrei chiamare il fioraio in città e farmi consegnare due dozzine di rose o, meglio ancora, affidare a lui i miei candelabri, che se ne occupi e mi recapiti a casa, due ore prima dell'invito, la composizione bell'e fatta. Naturalmente, non farei mai una cosa del genere: la differenza tra quelle decorazioni lussuose e le mie modeste foglie di leccio è il mondo intero.

Si lavora in garage, dove Dino ha montato un'asse su due cavalletti e ha fatto passare due lampadine volanti per avere un po' più di luce. Vorrei una ghirlanda anche per la porta d'ingresso, sono così allegre le foglie di leccio e quercia sughera, e Dino ci ha dato dentro, nel bosco, con le foglie dei quercioli più giovani. Va avanti e indietro silenzioso, è sempre molto indaffarato e controlla che la caldaia non vada in blocco un'altra volta, come accadde l'autunno scorso; che in casa non manchi nulla, legna per i camini, lampadine – se ne brucia sempre qualcuna all'ultimo momento –, viene a vedere se mi serve qualcosa, se ci vuole altro fil di ferro, altre forbici, un altro secchio d'acqua.

Ho deciso che mangeremo i fagiani cacciati da Dino, di cui abbiamo il refrigeratore pieno; e naturalmente adopereremo il nostro vino e l'olio, i porcini, le uova, le verdure, le castagne e, insomma, questa terra è un paradiso e c'è tutto quello che mi serve, anche se volessi imbandire un banchetto da re.

La Santa mi ha presentato le sue donnine, "le mie aiutanti", come dice con fierezza: una sua solida cugina, con le guance rosse, una certa Gemma; e la figlia di Gemma, Oletta, una delizia di ragazzina che dovrebbe andare a fare la mannequin a Milano invece di stare attaccata alle gonne di sua madre.

"Guardi che quella sua ragazzina è una bellezza."

"Non me ne parli, una disperazione. Sta tutto il giorno davanti allo specchio e non mangia nulla di quello che cucino, dice che le fa male! Ma la guardi, dico io, sembra uno stecco, anche se devo ammettere, bellina è bellina, ma a esser belle a quindici anni si fa presto, siamo buoni tutti."

"Be', non proprio tutti, Gemma. Oletta è una fuoriclasse, non uno stecco. Lasci che glielo dica: sa il fatto suo."

"Mah. Se lo dice lei. Basteranno due chili di castagne, o gliene preparo di più?"

La Santa sovrintende ai fiori nei vasi in ogni stanza e alla freschezza della biancheria, poi smista la spesa in cucina, chi affetta cipolle e chi sbuccia castagne; e manda di qua e di là Gemma e Oletta, Dino, e una certa Dolores – che non arriva dal Messico ma da Careggi e non ha una sola *c* che non sia aspirata nel suo pur ricco vocabolario – e viene destinata a pulire l'argenteria.

Oggi l'argenteria – se c'è ancora – la lucida chi capita; ma quand'ero bambina il mondo domestico era governato da inflessibili regole; le cameriere lucidavano gli ottoni e i legni, inceravano il cotto, battevano i tappeti e col piumino spolveravano un po' qui, un po' là. Ai camerieri spettavano l'argenteria, i vetri delle finestre e il cuoio, cioè valigie e scarpe del padrone di casa. E le camicie si mandavano a stirare fuori: gli elegantoni prima della guerra le mandavano a Berlino o, per un servizio più rapido – ma bisognava avere degli agganci –, in Vaticano, dove c'erano stiratrici formidabili, ben allenate su tonache e tovaglie d'altare.

La cucina era un mondo a parte. Vietato agli estranei. Né mia madre né la Granmammà ci mettevano piede, e perfino Miss Woodruff ci entrava malvolentieri, quando proprio era costretta a venirci a riprendere, perché magari eravamo andati a mangiare lo zucchero in dispensa; era Angelo a preparare, dopo le indicazioni generiche di mia madre, i menu settimanali, e quelli per i ricevimenti importanti; ed era lui che stabiliva che cosa avrebbe mangiato la servitù: di solito robuste minestre, patate, e uno stufato di maiale una o due volte alla settimana; e molti avanzi rielaborati, che arrivavano in tavola anche per noi.

"Caro Vittorio, il vero risparmio è avere un cuoco come il nostro," spiegava pazientemente mia madre a mio padre negli anni bui, guardandolo come se avesse di fronte un bambino stupido, "che sa riutilizzare gli avanzi, fare il polpettone, i soufflé, le meringhe e la sauce Hollandaise."

Per mia madre i soufflé, le meringhe e la salsa olandese erano il "mangiare economico" perché si facevano con la carne avanzata e le uova sbattute.

IV.

Ieri sono andata a Siena per una commissione in farmacia.

Mi ci ha voluto portare Dino.

Non mi piace esser trattata da vecchia, ho cercato più volte di rifiutare il passaggio – e poi, non mi piace neanche salire in cima a quella sua scomoda automobile fuoristrada di cui è tanto fiero.

Detesto essere considerata un oggetto fragile, ed è così che mi sento quando Dino e la Santa mi lanciano quelle occhiate afflitte.

Sembra che stiano lì, lo sguardo immobile, ipnotizzato dalle mie gambe, dalle mie braccia, preoccupati di vedermi cascare in terra, sbriciolata – perché, ne sono *sicuri*, l'osteoporosi deve aver minato anche me, nonostante le mie passeggiate mattutine, nonostante ch'io mi arrampichi ancora, se serve, sulla scaletta della soffitta. Certo, Dino adesso s'è fatto meno assiduo, passa più tempo in casa ad aggiustare questo e quello; ma alle volte non mi riesce di dirgli di no, di scrollarmi di dosso le sue attenzioni. Lo prendo in giro, lo sgrido, gli dico che ha già una moglie, un figlio e la mia tenuta cui badare, e mi pare che basti. Succede allora che lui mi guardi con stupore, anzi, con sorpresa, e mi dica poi, un po' sdegnosetto:

"Ma che dice, s'immagini, farle da balia!".

È così da quand'era bambino, sempre serio, sempre compunto, senza un briciolo d'ironia, tutto preso dalle sue incombenze. Tirava di fionda con la concentrazione di un giocatore di scacchi, come oggi fa con la tenuta: amministra trecento ettari di terra come se si trattasse del mondo intero.

Quando sono scesa dalla macchina, Dino avrebbe voluto accompagnarmi: l'ho congelato al suo posto, con un'occhiata, e non s'è più mosso.

Entrata in farmacia, ho fatto un salto: nulla era più come prima. Il bancone di legno scuro era sparito, sostituito da una plancia di lacca grigia, piuttosto ospedaliera; sulle mensole non c'erano più quella miriade di cassetti e cassettini con i pomoli piccini, di porcellana bianca, e la fila dei vasi di vetro blu o trasparente, certi col tappo di sughero, certi col coperchio di latta, certi ancora tutti di maiolica celeste; e la serie dei mortai, ben allineati in ordine dal grande al piccolo, e i bilancini... Dov'erano i bilancini, e i pesagrammi, e la pila ordinata di cartine sottili come l'ostia per racchiudere le polverine già dosate? Be', una simile rivoluzione chi se l'aspettava?, e in così poco tempo... E gliel'ho detto al farmacista, ho protestato, insomma, possibile che non si possa voltare un attimo lo sguardo che tutto cambia, non ci si raccapezza più, dateci il tempo almeno di abituarci, ho continuato, al nuovo che incalza, e poi, la vecchia farmacia, che bisogno c'era di rammodernarla, era bella, proprio bella, com'era, ma quand'è che l'avete rifatta, eh?

"A gennaio fanno trent'anni," mi ha risposto il farmacista annoiato, e poi, senza cambiare di tono: "Desidera?".

Mi sono sentita morire.

"Nulla," ho risposto, e sono uscita svelta, per lasciarmi sbollire all'aria le guance rosse dall'imbarazzo. Sono sgusciata in macchina mogia, peggio di Tommaso quando combina un guaio grosso senza volere.

"Che c'è, che le è preso?" mi ha domandato Dino.

"Nulla. Nulla," gli ho risposto, e finché non siamo rincasati non gli ho detto più niente. Poi, quando l'ho convinto a entrare, e a farmi compagnia per una tazza di tè, mi sono fatta coraggio e gli ho raccontato che cosa mi era successo in farmacia. Per filo e per segno.

Lui è rimasto zitto, finché non gli ho detto:

"È che sono vecchia, Dino, e faccio fatica a ricordarmelo".

E allora ha sorriso, soltanto con gli occhi.

"Macché. È l'unica, lei, tra quelli che conosco, a non averci in testa nulla di vecchio."

Dino è fatto così, riesce sempre a consolarmi. Ma non gli

ho detto che l'episodio della farmacia è soltanto la punta dell'iceberg, perché sono giorni oramai che passato e presente si stanno aggrovigliando nella memoria, e sperduti ricordi di sessant'anni fa hanno la vividezza di ciò che è accaduto stamani o ieri mattina. Vorrei poter fare ordine nel mio cervello come farei con le calze e i fazzoletti. Da tanti anni, oramai, non monto più a cavallo, ho smesso di bere cognac e di fumare. Se mi stanco troppo durante il giorno, la notte è un inferno, le lenzuola diventano soffocanti, le coperte pesano, o si spostano, o cadono; perfino il guanciale di piuma diventa un fagotto da rivoltare cento e cento volte per trovare un po' di frescura per le guance calde. La gioventù non sa che lusso, che dono, è una notte vera di sonno.

8.

RIVELAZIONI

I.

Le gite di Trott a Firenze si sono diradate di molto. Intuisco cosa pensano di lui Nina, Iris e quell'intrattabile Carlino, che è arrivato a dirmi: "Non sai nulla di lui, e te lo sei messo in casa. Gira molta gente strana, dopo la guerra, non li leggi i giornali? Avventurieri, imbroglioni, gente che prima non s'era mai vista, che non avremmo mai frequentato. E se fosse una spia?". Gli ho risposto che, con le incertezze politiche che stiamo vivendo e tutto il mondo sottosopra com'è, farebbe meglio a riflettere e a interrogarsi su qualcos'altro, che non sull'indole dei miei amici. Tuttavia, devo riconoscere che a volte Trott è sfuggente.

Non lo dico a nessuno.

Come se fosse, non so, ambiguo e privo di carattere. Quasi molle. Come uno che si facesse trasportare dagli eventi, invece di guidarli.

Magari, mi dico, è colpa mia. Ho mantenuto il mio segreto. Ogni volta che sono sul punto di dirgli che aspetto un bambino da lui, mi vengono mille paure. Come reagirà? Con dolcezza e comprensione, ansioso di trovare una soluzione onorevole per tutti e due – non dimentico che siamo entrambi ancora sposati –, o con uno scatto d'ira? Come dirlo al mondo? A mia madre?

La sua imperturbabile indifferenza mi sconcerta. Allo stesso modo, mi preoccupano i suoi improvvisi silenzi. Forse vuole semplicemente sottrarmi a certi pensieri, per non darmi alcuna preoccupazione.

Dev'essere questa la motivazione per cui ci sono argomenti che trascuriamo sempre di affrontare, come l'andamento dei suoi affari. Preferisce lavorare alla fattoria o andare a cavallo, che occuparsi di setacciare la Toscana per conto del magnate americano, che gli paga ancora uno stipendio. Mi chiedo quanto ci vorrà prima che l'americano si stufi della lentezza con cui Trott assolve ai suoi compiti, e gli tagli l'appannaggio mensile che gli consente di vivere decorosamente. L'avvocato Ricorsi, un capace giovanotto dal naso aquilino – e piuttosto snob –, è venuto da noi questa mattina, dopo che ieri Trott era passato a trovarlo. Ha detto di avere un affare per lui. Immagino che questo azzeccagarbugli locale avesse sottomano una vecchietta da spogliare di quadri e argenterie, in cambio di un po' di contante.

Trott e Ricorsi sono rimasti chiusi in biblioteca per una buona mezz'ora. Quando Ricorsi se n'è andato, aveva l'aria soddisfatta di chi ha concluso la trattativa. Trott invece è stato di cattivo umore per tutto il giorno.

Gli sono andata vicino, e ho tentato di accarezzarlo. S'è scrollato, e se n'è andato a fare due passi in giardino, da solo.

Non l'ho mai visto tanto irritato.

II.

Questa mattina sono rientrata presto dalla passeggiata con i cani, lungo il sentiero dei noccioli ho trovato una volpe morta.

I cani non smettevano di girarle attorno, incerti sul da farsi, se annusarla o tenersene alla larga: sentivano, credo, qualcosa di spaventoso.

Si dice che anche gli animali abbiano paura della morte, quando si tratta di morte violenta e innaturale; e la nostra volpe, un esemplare ancora giovane e all'apparenza tutt'altro che gracile, probabilmente è morta per un boccone avvelenato, di quelli che provocano violente emorragie interne – e terribili dolori –, e insomma, i cani ne fiutavano ancora il terrore. L'odore della paura impregna l'aria – e la terra, le foglie secche, il muschio che riveste la corteccia degli alberi – piuttosto a lungo.

Sapevo che, prima o poi, l'istinto del cane da caccia avrebbe avuto il sopravvento, e si sarebbero avvicinati alla volpe, ficcando il muso dappertutto e magari leccando qualcosa di pericoloso lì attorno, dov'era possibile che la povera volpe avesse trovato il suo boccone.

E comunque, la bellezza della mattina era incrinata: tanto valeva tornarsene indietro, richiamare i cani e farli correre appresso a un rametto lanciato in direzione di casa, al sicuro.

Non mi ero ancora sfilata soprabito e guanti di lana, che è suonato il telefono.

Difficile che suoni, così presto.

Ho immaginato subito che si trattasse di una telefonata speciale.

Chissà, mi sono detta, chissà.

Aspetto ospiti. Ho mandato degli inviti.

Sarà qualcuno che non può venire.

Sarà qualcuno che verrà.

Sarà l'orrendo dottor Scauri, per darmi una cattiva notizia ("È morto il tale, o il tal altro").

Ho preso la cornetta con la mano ancora guantata.

"Pronto," ha detto una voce maschile, bassa di tono.

"Ciao, Francesco," ho risposto, "come stai?"

Non ci vediamo da decine di anni, e Francesco desidera – ha detto proprio così, *desidera* – venirmi a trovare, anche se non si tratterrà fino al mio pranzo. Ragioni improrogabili lo richiamano velocemente a Torino, ma – se non è troppo breve il preavviso – potrebbe essere qui *domani* per l'ora del tè. "*Domani?*" domando, e poi, senza aspettare che lui dica altro, rispondo: "Va bene. Per le cinque". Accetto, mi ha colto di sorpresa.

Poi, messa giù la cornetta, mi domando se mi sono del tutto rinstupidita, mi irrito con me stessa, e subito telefono a Dino e alla Santa, che arrivino, presto, c'è una camera in più da preparare, c'è da andare a far la spesa per domani sera – dovrò pur farlo mangiare, Francesco, anche se in maniera semplice e improvvisata –, e telefono anche a Ricorsi – so che non lo tiro giù dal letto, soffre d'insonnia peggio di un gatto –, che non crede alle sue orecchie e viene preso da un'eccitazione francamente molesta – "Suo marito? Quello che sta a Torino?" –, e vado a tirare fuori dall'armadio la biancheria per la camera da letto, gli asciugamani da ospite, un plaid in più da mettere in fondo al letto.

Dopo quasi mezz'ora, finalmente arriva la Santa e mi chiede, torva:

"La caldaia è andata in blocco di nuovo?".

"No," rispondo, "funziona benissimo."

"E allora che ci fa, scusi, intabarrata in quella maniera?" dice lei, sospettosa.

Mi accorgo che sono ancora vestita di tutto punto, cappotto, guanti e cappello di lana.

Mi metto a ridere, e la Santa ride anche lei.

Certo pensa che sto diventando distratta, o che questa notizia mi ha fatto girare la testa; ha paura – glielo leggo negli occhi – che un giorno o l'altro mi salterà un venerdì.

Io invece sto ridendo di tensione, mi sono accorta che sono curiosa – e forse anche spaventata – di rivedere mio marito.

III.

Sia d'estate che d'inverno, mi siedo a tavola alle dodici e mezzo precise. Una questione d'abitudine, che mi porto dietro dall'infanzia, da quando la marescialla di bronzo – la stessa che c'è ora sul comò – batteva le ore con un mezzo tocco praticamente inudibile, a meno di esservi preparati. A quell'ora Enrico e io già da qualche minuto eravamo in piedi, accanto alla porta della sala da pranzo, ad aspettare che arrivassero papà e mamma. Quanto a Miss Woodruff, sceglieva sempre questo momento per aggiustarmi il nastro di grosgrain – rifare il fiocco o raddrizzarlo – che mi legava la treccia. Naturalmente, aveva già controllato se ci eravamo lavati per bene le mani e spazzolati le unghie.

Mio padre e mia madre si sedevano l'uno di fronte all'altra, a capotavola, felici – pensavo – di guardarsi negli occhi.

Mio fratello e io, fianco a fianco, avevamo davanti la faccetta a punta di Miss Woodruff, che ci lanciava di tanto in tanto occhiate severe, più per abitudine professionale, credo, che per necessità.

Aspettavamo silenziosi che fossero i nostri genitori ad aprire la conversazione e restavamo ad ascoltare: ci sembrava allora che molte delle cose che raccontavano fossero davvero speciali, eppure si trattava di banali conversazioni domestiche, generici resoconti mondani. La voce di mia madre era una cantilena che alternava i toni alti a quelli più bassi, piacevolissima a sentirsi. A volte, ma non tutti i giorni, i miei genitori parlavano in inglese, per una gentilezza nei confronti di Miss Woodruff (una delicatezza inutile, secondo Enrico e me, perché oramai Miss Woodruff l'italiano e il francese li comprendeva benissimo, benché fingesse – chissà perché – che non fosse così). Talvolta anche Miss Woodruff diceva la sua, sebbene accadesse di rado: si aveva sempre l'impressione che non le importasse assolutamente nulla di quello di cui stavamo parlando. Mio padre sosteneva che fosse una forma di scarsa educazione; mia madre ribatteva che si trattava giusto del suo contrario, della manifestazione più sofisticata di uno spirito squisitamente britannico, tanto rispettoso delle libertà di principio da considerare persino la silenziosa partecipazione a una conversazione altrui un'inammissibile intrusione.

Quella sala da pranzo era la stanza di casa che mi piaceva meno: era buia, e bisognava tenere accese due lampade gemelle, piuttosto alte, decorate con un intreccio di rose e tulipani di ceramica che a me sembravano orribili (ma mia madre diceva, come per giustificarsi: "Eh sì, sono proprio Belle Époque").

Invidiavo mia cugina Letizia – "la bambina Braquemond", come la chiamava mia madre –, m'incantava la semplicità *moderna* del suo appartamento in corso Vittorio Emanuele, le finestre da cui filtravano sole e luce, e quel tappeto morbido sotto il tavolo da pranzo – che non era coperto da una tovaglia.

A casa mia, invece, le sedie erano scomode, rigide e diritte di schienale, un pasticcio di legno dipinto e paglia di Vienna che pungeva, e il tavolo era troppo alto, e la luce delle lampade a fiori decisamente gialla e triste. Del resto, bisognava che le luci restassero accese per forza, perché mia madre aveva creato una cortina di piante davanti al bovindo e non filtrava quasi più luce, neanche d'estate.

Miss Woodruff diceva che la nostra sala da pranzo era bella di sera, quando s'accendevano le candele. Allora le tende di velluto, le kenzie, il Thomire di bronzo dorato – riproduceva una piazza neoclassica, tutta balaustre e obelischi Retour d'Égypte che si riflettevano su un selciato di specchio, una *imagérie* sulla falsariga di place de la Concorde (anche se mio padre borbottava: "m'è antipatica quella piazza, per via della ghigliottina, e dovreste trovarla raccapricciante anche voi") – potevano non riempire di stupore una bambina di nove, dieci anni? Su quella piazza immaginaria si specchiavano le candele, le piccole alzate di cristallo che mia madre riempiva

161

di confetti, fiori d'arancio o cioccolatini, le cariatidi di bronzo col profilo regolare dei candelabri.

Questa, concordavo pienamente con Miss Woodruff, era pura magia.

Enrico e io spiavamo spesso i preparativi di un pranzo: a noi quelle feste erano precluse, tutt'al più ne avremmo mangiato gli avanzi il giorno dopo, quando il soufflé s'era ridotto a una strisciolina elastica e gialla e la panna montata a neve sciolta; ma eravamo bambini, e quelle prelibatezze appartenevano al mondo degli adulti.

Eravamo rassegnati e abituati a non discutere: funzionava così. Soltanto il 24 dicembre eravamo ammessi di sera, in sala da pranzo.

La vigilia di Natale il menu era triste: un brodo di verdura in cui galleggiavano due o tre agnolotti di magro e un pesce lesso, mandato in tavola intero, con la pelle e la coda e l'occhio bianco – il peggio però era il ciuffo di prezzemolo che gli spuntava fuori dalla bocca – che ci faceva orrore. Ma la luce dorata delle candele e il tremolio delle fiamme rendevano allegra la sala da pranzo, così diversa; e noi vedevamo brillare le alzate, piene di frutta e dei canditi che avremmo mangiato l'indomani.

Perfino i tendaggi di velluto rosso, così tristi di giorno, diventavano *differenti*, il sipario di un teatro e, come quello, promettevano chissà quali meraviglie.

C'erano le zie, i cugini e, siccome si trattava della vigilia di Natale, si mangiava alle nove e mezzo invece che alle solite otto in punto. Il fatto era – come diceva Enrico – che bisognava tirare in lungo la serata, perché dopo si andava tutti insieme a messa, a mezzanotte, noi bambini compresi.

Rievocare di tanto in tanto quegli anni mi ringiovanisce: la memoria, esercitata, ci ricompensa e improvvisamente regala qualche sorpresa, un ricordo che nemmeno sapevamo di aver perduto, che suscita una contentezza tutta speciale.

Altre volte invece questo voltarsi indietro non è affatto

rassicurante, né divertente: mi pare di essermi persa in una grotta sotterranea piena di anfratti pericolosi e labirintiche cavità che non conosco, altrettanti crepacci in cui posso scivolare.

Questo mi succede adesso, quando guardo avanti e mi accorgo che non c'è più strada, e allora mi volto indietro e vedo che di strada non ce n'è neanche lì.

IV.

L'ho visto dalla finestra.

Alle cinque precise – Villaforesta ha ancora questo gusto rétro di una puntualità svizzera – vedo una macchina scura che si ferma in cima alla salita, e un giovanotto che ne balza fuori, apre il bagagliaio per tirare fuori una valigetta mentre, con maggior lentezza, dall'altra porta scende un signore ancora molto alto, e diritto, con un soprabito scuro e un cappello di feltro.

Il giovane e il vecchio scambiano qualche parola, e il vecchio sfiora appena, in un veloce saluto, la spalla dell'uomo che risale in macchina. Da così lontano non riesco a decidere se Villaforesta si è fatto accompagnare fin qui dal figlio, che ha rapidamente congedato per non dover fare imbarazzanti presentazioni, o da un autista di piazza, noleggiato a Siena. La curiosità m'indurrebbe ad aprire la finestra e a chiamarli in casa, tutti e due; ma un riserbo altezzoso che m'è rimasto appiccicato addosso dall'adolescenza, e un certo – malinteso, può darsi – senso del decoro, insomma, m'impediscono di sgolarmi a chiamare chicchessia dalla finestra. Sempre nascosta dietro la tenda, vedo Villaforesta attraversare a piccoli passi tutta la corte, vedo i cani che gli abbaiano contro – ma lui non si scompone, ama le bestie e riconosce l'indole di un cane –, sento sbattere la porta d'ingresso e la voce di Dino che dice al mio ospite di sedersi in salotto. Mentre i passi di

Dino rimbombano sulle scale – tunc, tunc, tunc, come quelli di suo padre –, mi allontano dalla finestra per darmi un po' di rossetto, un po' di fard sulle guance. Penso che dovrei vergognarmi di queste piccole vanità, ma ho la pelle oramai così grigia, così sciupata. Dino bussa delicatamente alla porta, e gli sono grata perché non dice:

"C'è suo marito che l'aspetta in salotto," ma semplicemente: "L'aspettano giù".

"Sì," rispondo.

Bene.

Poi prendo un gran respiro, drizzo le spalle e con una certa lentezza comincio a scendere gli scalini, uno dopo l'altro, con attenzione.

V.

Gli ho offerto tè e biscotti, che non ha degnato d'uno sguardo.

Abbiamo sentito un rumore alla porta ed è comparsa la Santa con i capelli un po' arruffati, come se fosse uscita da casa di corsa.

"Buonasera. Scusate. È che ho pensato che magari il signor conte vorrebbe del tè."

"No. Non ne prende," dico io.

"Come desidera. Ora vado in cucina. Preparo qualcosa per pranzo. Ecco." La Santa sguscia in cucina, e dopo un po' che traffica di là ritorna in salotto.

"Pensavo... scusi se interrompo... mi ero dimenticata di dirglielo, vorrei chiamare Vieri."

"E chi sarebbe?"

"Vieri, il figlio di Gervaso, quello che ripara le lavatrici, insomma."

"Il tecnico," suggerisce Villaforesta.

"Proprio lui. Bisogna che venga a darci un'occhiata. Sono due giorni che perde un filo d'acqua, un pochino, ma se mai peggiorasse..."

Annuisco. La Santa sfila l'elenco del telefono dallo scaffale e torna in cucina.

La sentiamo telefonare. Guardo l'orologio e mi chiedo tra quanti minuti tornerà.

Cinque. Cinque esatti.

"Stasera preparo una stracciatella e due scaloppine... Il tecnico arriva mercoledì, intorno alle dieci."

La Santa torna in cucina e dalla finestra del salotto vedo Dino, che ha in mano le cesoie e sta potando la rosa rampicante. Prego in cuor mio che Villaforesta non ci faccia caso: chi è che pota di novembre, quando, fra l'altro, fuori è quasi buio?

Suona il telefono. È Ricorsi, dice che sta meglio, vorrebbe fare due passi. Ha pensato che siccome fa già freddo, e sta cominciando a fare proprio buio, invece di andare a Siena potrebbe passare qui da me per fare due chiacchiere.

L'arrivo di Villaforesta sta creando una bella agitazione. Qualunque scusa va bene, pur di riuscire a dargli una sbirciatina.

La Santa ricompare in salotto un'altra volta, per dirmi che Dino s'è scordato di comprarle le uova. Dice che non può fare la stracciatella.

"Fa lo stesso. Un brodo qualunque va benissimo, no?" chiedo a Francesco, che sorride.

"Anzi. Meglio."

La Santa annuisce, e torna di là.

Ci resterà a lungo?

Villaforesta si è accorto che Dino sta sforbiciando fuori dalla portafinestra.

"Il tuo giardiniere pota tardi, quest'autunno," dice con un sorriso.

"Non è il mio giardiniere, è Dino. Fa tutto. Senza di lui, qui sarebbe un disastro. È la mia mano destra, anzi tutt'e due."

"Sì. Immagino. È bello, questo posto."

"Sì."

Uno scambio di frasi banale, quasi familiare.

È difficile parlarsi, dopo tanto tempo. È difficile non mentire, dirsi che ci si trova magnificamente, quando invece ci siamo visti l'ultima volta giovani e belli, è difficile stabilire quale dev'essere la giusta modulazione del discorso. Ineccepibilmente formale? Intimo, affettuoso, quasi complice? Distaccato e addirittura distratto? Malinconico e rievocativo?

Non sappiamo deciderci, né lui né io.

Restiamo silenziosi a studiarci un po'.

Perché la Santa non entra più in salotto, che diamine, cos'è quest'improvvisa discrezione? E com'è che Ricorsi ci mette tanto ad arrivare?

Francesco è molto invecchiato. Ha una giacca sciupata, che gli sta larga. Si capisce al primo sguardo qual è la malattia che lo ha colpito. Ha l'aria stanca. Gli chiedo se vuole riposare un po', prima di pranzo. Abbiamo tempo per parlare più tardi, magari domani, quando l'emozione di questo incontro si sarà dissipata.

"Ti ringrazio. Va bene così. Che ore sono?"

"Quasi le cinque e mezzo."

"Mi sono fatto accompagnare qui da mio figlio."

"Ah."

"Andava a Firenze. Per lavoro. Non ha allungato di molto la strada."

"No. Tre quarti d'ora al massimo. Oramai, sarà già arrivato. È uno che guida veloce?"

"Abbastanza. È prudente, però."

"Bene."

"E tu?"

"Io?"

"Non hai avuto... figli, tu, no?"

"No."

"Non sono arrivati, o..."

Solo Villaforesta può fare domande così indiscrete.

È ridotto uno straccio, ma il carattere gli è rimasto lo stesso.
"Una domanda per ciascuno," gli dico, e lo faccio sorridere.

"Scusa."

"È sposato, tuo figlio?"

"Sì. Ho anche una nipote. Si chiama Caterina. Ha otto anni. È molto intelligente. Impazzisce per gli animali, da grande vuol fare la veterinaria. Le piacciono soprattutto i cani. Quest'anno a Natale voglio regalarle un labrador, gliel'ho promesso. Sua madre protesta, ma ci s'abituerà."

Ci interrompe il rumore di un'automobile che posteggia davanti al cancello. Ricorsi entra sorridente. Sta lì a guardare Villaforesta, a studiarlo, e io riconosco negli occhi di Francesco un lampo d'interesse. L'avvocato frigge dalla voglia di fargli qualche domanda, ma Francesco è più svelto, non ha alcuna intenzione di farsi incastrare in una conversazione personale, e commenta che in Piemonte è già autunno avanzato, noi siamo più indietro, quasi un mese, per esempio *qui* le rose si potano *adesso* – con un sorrisetto fa un gesto in direzione di Dino, là fuori –, non come al Nord tra la fine di settembre e la metà d'ottobre, e allora, vuol sapere, quand'è che si vendemmia qui, perché in Monferrato...

Ricorsi curva le labbra all'ingiù in una smorfia di disappunto, la conversazione ha preso una piega banale e del tutto priva d'interesse, figurarsi, che si poti o si vendemmi di settembre o di ottobre non gliene importa nulla, questo piemontese non si riuscirà a sbottonarlo neanche un po', tanto valeva incontrarlo domani, con calma...

Se ne va soltanto alle sei e mezzo. Salutandomi, mi bacia la mano con un movimento più cerimonioso del solito – mi aspetto quasi di sentire che batta i tacchi, come un militare – e non riesce a nascondere una certa delusione. Povero Ricorsi, è ancora impalato davanti a Francesco e a me, non si decide ad andarsene, e mi lancia sguardi preoccupati.

Villaforesta ha certi occhi ironici, che non ricordavo.

Ricorsi è più tremulo del solito, dev'essere la timidezza. Improvvisamente ho l'impressione – assurda, me ne rendo conto – che Villaforesta e Ricorsi si conoscano già. Evidentemente, la visita di Francesco sta scombussolando anche me.

So che l'avvocato spera segretamente che lo inviti a pranzo, ma è meglio che si rassegni, questa sera non è possibile.

Lo guardo allontanarsi e sono sicura che, mentre io rido divertita, lui sta pensando che questo Villaforesta è un bel personaggio, proprio dispettoso, è mezzo secolo che tutti qui cercano di immaginarselo e di sapere che tipo è, e lui che cosa fa? Passa il pomeriggio a parlare del tempo, del freddo e di quanto si stanno accorciando alla svelta le giornate, roba che sa anche un bambino.

VI.

I miei ospiti chiedono di Trott. Lo sto cercando anch'io, non l'ho trovato né in rimessa – dove si chiude spesso a trafficare con non so quali arnesi –, né in magazzino, e tanto meno in cantina. Finché per caso, giusto perché decido di andare a discutere del menu di stasera, lo trovo in cucina. Sta, tutto ammirato, a guardare il lavoro di Novella, silenzioso e partecipe.

Novella ha certe piccole dita industriose, come le chele di un granchio di mare, sottili e veloci, con cui srotola un nastro di pasta e lo taglia in quadrati di pochi centimetri. Al centro sistema un impasto di erbette di campo, bieta selvatica e ricotta, grosso quanto una noce, e con un colpetto di dita e di nocche sigilla ogni tortello, l'infarina e lo spinge da parte. Trott è incantato, osserva con stupore e senza fretta, come fanno i bambini davanti ai trucchi dei prestigiatori. Novella ha le mani per fare la pasta, come dice Mario, mani tiepide, dalla temperatura costante, e la pasta così s'alliscia, si fa elastica, di seta. Trott, che oramai si è fatto benvolere, la canzona, le chiede di vederla, questa mano fatata: e lei, felice, sporge un palmo morbido, rosato, sporco qui e là di farina. Il mio amico s'inchina e le fa un compito baciamano, da teatro d'opera; lei non se ne adombra. Anzi, ride, con una voce squillante, e si ritrae, minacciandolo con l'indice teso.

"Se non sta buono, le faccio il brodo di gatto, badi, che glielo faccio davvero."

Anche Trott ride, e non la finiscono più, perché la faccia di lei fa ridere lui e viceversa.

VII.

Villaforesta e io abbiamo mangiato alle otto. Una pastina all'acqua – pessima – e scaloppine di tacchino al limone.

"Menu da clinica," ha commentato Francesco senza ironia, "grazie del pensiero."

Abbiamo parlato di molte cose, in una maniera piacevole. Insospettabilmente piacevole. Le parole di Francesco sono del tutto prive di asprezza, anzi, di tanto in tanto nella conversazione adopera espressioni quasi affettuose. Gli racconto di com'è gestita la tenuta, delle continue difficoltà, di quanta competenza e passione e fortuna siano necessarie per fare del buon vino. Villaforesta ascolta attento, fa domande, consiglia. Mi racconta della sua malattia con semplicità, dice che gli dispiace non poter più bere nemmeno un bicchiere di vino, e poi passiamo ad altri argomenti, amici comuni, attualità.

Gli domando ancora di suo figlio.

Sono curiosa di saperne di più, su Aimone.

Villaforesta tira fuori dalla tasca una fotografia sciupata, in cui riconosco lui che posa la mano sulla spalla di un ragazzone biondo e alto. Accanto al ragazzo c'è una donna.

"Jole?" gli domando.

"Sì. Il giorno in cui Aimone si è laureato."

Nella fotografia Jole non ha nulla della graziosa puttanella che m'immaginavo. È una donna di mezza età, ingrossata, che sorride contenta. Alle loro spalle s'intravede una piazza con palazzi moderni. Non la riconosco.

Mio Dio. Come sono felice di non essere io, la donna ritratta in quella fotografia. Come sono felice di aver cambiato rotta.

Guardo Villaforesta dritto negli occhi: "Dopo la guerra, ho vissuto qui con un uomo per alcuni mesi".

Mi aspetto che dica qualcosa, ma resta zitto. Mi vedo costretta a proseguire, tanto perché sappia che pure io ho qualcosa da ricordare, anche se non mi porto dietro una fotografia.

"Poi... è finita."

"E dopo?"

Villaforesta fa sempre domande a cui trovo imbarazzante rispondere.

Mi verso un altro bicchiere di vino, per riempire il momento di silenzio.

Eccolo, Villaforesta, che mi sorride sornione e mi chiede un'altra volta:

"E dopo?".

"'Dopo' cosa?"

"Dimmi quanti uomini ci sono stati dopo di lui."

"Perché me lo domandi?"

"Perché non mi rispondi?"

"Perché dovrei?"

"Perché non dovresti?"

È vero. Perché non dovrei rispondere alla sua domanda? Figurarsi.

La verità è semplice semplice.

"Nessuno. Dopo di Trott non c'è più stato nessuno."

Possibile che Villaforesta impallidisca? Eppure, così mi sembra.

Ora siamo entrambi a disagio.

L'incanto della serata si è dissolto. Tutti e due ci rendiamo conto che è ora di andare a dormire, prima che la conversazione prenda una piega ancora più intima.

Accompagno Villaforesta in camera sua. La Santa gli ha preparato il letto, ha chiuso le imposte e tirato le tende e ha riempito il thermos sul comodino di acqua fresca.

"Voglio farti una domanda io, Francesco."

"Ti ascolto."

"Mi risponderai sinceramente?"

"Sì."

"Dammi la tua parola d'onore."

"Ce l'hai."

"Ti ho *davvero* rovinato la vita?"

"Esiste qualcosa che possa *davvero* rovinare una vita?"

"Non giocare con le parole. Rispondimi."

Francesco esita. Scuote appena la testa.

"Ce l'hai fatta. Questo è un bellissimo posto. Una tenuta persa al gioco – una beffa, per qualcuno – è stata la tua salvezza."

"Mi hai amato davvero così tanto?"

"Sei stata felice qui, no?"

"Sono stata sola."

"Mi dispiace."

Francesco s'appoggia allo stipite della porta.

"Sono un po' stanco. Dev'essere colpa del viaggio. Se mi scusi, andrei a riposare."

"Buonanotte. A domani."

"A domani, sì."

VIII.

L'Italia è una Repubblica.
È finito lo spoglio delle schede.
Lo ha detto la radio.

Squilla il telefono: è mia madre, che quasi non riesce a parlare per l'emozione. È furiosa. Lascio che si sfoghi, sento i suoi sospiri e immagino che abbia addirittura voglia di piangere – ora che è invecchiata ha di queste debolezze –, poi si riprende e ascolto un torrente di parole infuriate – voltagabbana, traditori, rivoluzionari, imbroglioni –, e poi conclude: "C'era da aspettarselo," e tronca la telefonata. Immagino che abbia riattaccato per cominciare a chiamare le amiche con lo stesso schema di conversazione.

I miei ospiti, Nina, Oddone e gli altri, sembrano più tranquilli, non so se rassegnati o perplessi. Tutte le discussioni dei giorni scorsi è come se appartenessero ad altri tempi, lontanissimi. La Storia ha voltato pagina, il nostro mondo – quello che abbiamo conosciuto – appartiene al passato. Questo, mi chiedo, sta a significare che anche noi apparteniamo al passato? È una curiosa sensazione, uno strappo che non provoca dolore né una vera nostalgia. Il panorama cambia, nasceranno nuove consuetudini, nuovi cerimoniali. Penso a quel trucco che ho visto fare una sera a teatro: c'è una tavola apparecchiata con piatti e bicchieri. Il prestigiatore s'avvicina, prende in mano un angolo della tovaglia e, con un colpo secco, la tira via. Incredibile: la tovaglia non c'è più – il prestigiatore la brandisce in mano con fierezza, come una bandiera –, e sulla tavola sono rimasti intatti piatti e bicchieri. Non si sono spostati d'un millimetro.

Come noi, seduti sotto la pergola, a riscaldarci al sole di giugno con il ronzio di un'ape di sottofondo, sorridenti, rilassati, beneducati.

Manca solo Trott.

Chiedo a Oddone di andarlo a cercare. Trott sparisce spesso, di questi tempi.

Non so quando me ne sono accorta. In principio sono stati i sogni ad avvertirmi. Di notte capitava che mi svegliassi in un bagno di sudore, terrorizzata; avevo la sensazione di tremare, ma si trattava di semplice illusione. Trott dormiva pesantemente, e non si svegliava mai, nonostante i miei incubi. A me sembrava di aver urlato, o di aver pianto rumorosamente.

Al mattino, tentavo di dimenticare quei sogni cercando le carezze di Trott. Quando mi ero calmata, me la prendevo con me stessa. Non bisogna lasciarsi andare così, mi dicevo. Sto tirando fuori un temperamento romantico che non sapevo di avere. "Una sensibilità sovreccitata danneggia i nervi," diceva sempre mia madre, "tu pensi troppo, immagini troppo."

La mia relazione con Trott è ancora fresca, mi dicevo anche questo. Era effettivamente così recente che ogni giorno ne scoprivo aspetti sconosciuti. Certe sue ritrosie, per esempio, a parlarmi di sé.

"Sono sfuggente di natura, tesoro, cerca di capire," mi diceva, oppure: "Non c'è nulla di interessante nel mio passato, credimi".

Mi rendevo conto che c'erano alcuni lati del carattere di Trott che mi ferivano e altri che m'irritavano.

La freddezza che saltava fuori all'improvviso, per esempio, era un tratto del suo carattere o una reazione alle disavventure che lo avevano portato a perdere il suo danaro e a troncare ogni rapporto con la famiglia? Un atteggiamento che riservava soltanto a me? Il segno inequivocabile di un temperamento ambiguo, irrisolto, la spia di chissà quali turbamenti?

A volte penso che avrei dovuto capire molto tempo prima, ancora prima della guerra, prima di ritrovarlo alla Pensione Nannini, quando, a metà di una passeggiata lungo il Po, il mio mantello non bastava a ripararmi dal freddo umido che saliva dal fiume. Non l'avevo forse conosciuto in casa di un diplomatico tedesco? Non viaggiava dovunque in Europa, non aveva contatti in ogni capitale?

Il pomeriggio stesso in cui eravamo diventati amanti, Trott

aveva promesso di scrivere, di tenersi in contatto. E invece nulla, neanche un cenno.

Si capisce, mi dicevo, ha una moglie, una figlia, certi affari sicuramente importanti. Anch'io sono pur sempre una donna sposata, benché viva sola.

È necessario un certo contegno, "l'espressione troppo esplicita di sentimenti d'amore non è da noi," avrebbe detto la Granmammà.

Tuttavia, Trott partendo mi aveva fatto una *promessa*. E tra amanti le promesse non s'infrangono.

Nemmeno se c'è di mezzo una guerra.

No?

Ti chiamerò. Ti scriverò. Il tuo numero di telefono l'ho conservato nel portafogli. Guardalo. È qui. Vedi?

Quell'intuizione istantanea si perde, sfuma fra gli altri episodi, la dimentico – scelgo di dimenticarla? – e soltanto molti anni dopo, a posteriori, quello che allora avevo solo avvertito confusamente assume una irrevocabile definitività. Un avventuriero, non era altro che quello. Trafugava documenti? Passava informazioni? Prendeva soldi dai tedeschi, dai russi, dagli americani o dagli inglesi? Stava dalla parte giusta, o da quella sbagliata? Lo faceva per passione, per noia o per divertimento? È grottesco che sia capitato *a me*, e già mi sembra di sentire il ghigno della Granmammà, questo è il risultato, quello che hai ottenuto, per aver assecondato il tuo temperamento ansioso e terribilmente insicuro quando, persa ogni capacità di ragionamento, ti sei immersa – stordita – in ogni genere di fesserie...

IX.

Stamattina Francesco e io facciamo colazione nel salottino della torre. È una stanzetta quadrata, con le pareti rivestite di libri, sistemati in maniera disordinata, accatastati insieme a scatole di latta e riviste – ho tutte le annate del "Giardino fiorito".

La Santa ha steso sul carrello di ciliegio una tovaglietta stinta, troppo corta sui lati, che pende malinconica nel vuoto.

Tè, fettine di pane tostato sottili e croccanti, marmellata di more – la faccio io, ogni anno a settembre – e un bricco di caffellatte per Francesco. Il burro ha un sapore leggermente rancido. Non me ne lamento. Villaforesta mi sorride, mentre si siede a tavola, perché non ho dimenticato cosa prende per colazione.

Vorrei spiegargli che la mia non è una piccola attenzione, riservata a lui in maniera speciale, non mi sono concentrata per ricordare cosa prendesse per colazione più di mezzo secolo fa, è solo che sempre più spesso non rammento cosa ho fatto la settimana scorsa, né cosa ho detto, mentre mi è venuta una memoria formidabile per tutto quello che appartiene al mio passato remoto. Francesco invece posa su di me uno sguardo affettuoso, che francamente mi sorprende e mi fa sentire a disagio. Gli propongo di venire con me su fino a Monteti, è una passeggiata non troppo faticosa, e da lassù si vede bene casa mia e il panorama di sogno in cui è immersa.

Francesco è d'accordo.

"Così mi rendo conto," dice, con un tono serio ma con un minuscolo sorriso che gli increspa le labbra, e così non so se mi sta prendendo in giro o se parla seriamente.

"Sì. Così ti rendi conto di quanto è meraviglioso questo posto, di come sono stata fortunata ad averlo. Il Chianti è davvero una terra benedetta, capace di rappacificarti il cuore."

Dino ci viene a prendere con la sua macchina. Ho pensato che fosse meglio fare almeno una parte del tragitto in automobile, perché a tratti Francesco sembra malfermo sulle gambe. È proprio rinsecchito, come tutti i vecchi. Così non sono l'unica, mi dico.

Quando restiamo soli in cima al poggio – Dino ci aspetta sotto –, spiego a Villaforesta come si chiamano i paesi che punteggiano la provinciale, di chi sono le ville con quei lunghissimi viali di cipressi che stanno sulle colline, gli indico i confini della Bandita, dov'è la mia vigna, l'oliveto e il bosco – fitto in certi punti che non ci si riesce nemmeno più a entrare –, gli racconto che oramai qui c'è un viavai di stranieri – inglesi, americani e tedeschi – che hanno un rispetto e un amore per questa campagna da non credersi.

"Vengono ricompensati," commenta Francesco.

Sì. È vero, vengono ricompensati, da queste giornate luminose, tiepide, da un vento che non è mai violento, da un inverno che, nonostante qualche gelata, o qualche nevicata tra gennaio e febbraio, non perde di grazia né di leggerezza; altrimenti, con parole più semplici, vengono ricompensati perché, perfino dal giornalaio di San Giusto, si trovano, tutto l'anno, il "Times", l'"Herald Tribune" e la "Frankfurter Allgemeine".

La Santa ci fa trovare pronta alle dodici e mezzo una colazione leggera – fettuccine al burro e paillard alla griglia. Parliamo con disinvoltura di cose qualunque, con un certo spirito, ci raccontiamo aneddoti divertenti; la conversazione mondana è un'arte che non abbiamo dimenticato e che ci consente di restare nel vago.

Evidentemente sentiamo ancora – dopo tanto tempo – il bisogno di difenderci l'uno dall'altra.

Dal di fuori si vede l'immagine di un matrimonio stabile, longevo, improntato al rispetto reciproco.

Noi due sappiamo – e non potremo mai dimenticare – che tra di noi è scorso un odio violento, un disprezzo implacabile. All'apparenza siamo due vecchi ammorbiditi dagli anni, ma se qualcuno sapesse leggerci in fondo al cuore, troverebbe intatti il risentimento e la paura di una donna che non ha ancora compiuto vent'anni ed è già sposata da poche ore con un ragazzo di venticinque, che le sta chiedendo distratto di togliersi la camicia mentre, voltato di spalle verso la finestra, s'accende un sigaro in camera da letto.

Ora – sono vecchi, ora – sanno tutti e due di che cosa si trattava.

Quella noncuranza, non era *niente*.

Nulla.

Un po' di timidezza, un po' di paura, uno smisurato orgoglio.

Una finta indifferenza che mascherava la paura.

Semplice.

Ora sanno tutti e due che quelle pungenti crudeltà erano involontarie come quelle dei bambini.

E adesso che saprebbero rimediare, sanno di non averne più il tempo, né il desiderio. Si sono guastati la vita a vicenda, con ammirevole perfezione. E questa consapevolezza non basta certo a riavvicinarli, né a consolarli.

Non possono fare a meno del risentimento che cova ancora in fondo all'anima: togliete loro anche quello, e saranno allora veramente perduti.

X.

Villaforesta è andato a riposare dopo colazione. Quando due ore più tardi non l'ho visto uscire dalla camera da letto, ho mandato la Santa a controllare. Non mi sbagliavo, si è sentito male nel pomeriggio.

Ho aspettato a chiamare il dottore, ho pensato che forse era solo un po' di stanchezza. Poi, dopo un paio d'ore, è diventato ancora più pallido, e mi è sembrato che il respiro gli fosse diventato affannoso.

Ho telefonato a Scauri alle sei meno un quarto.

"Perché non mi ha chiamato prima?"

L'orrendo Scauri fa così, abbaia. È la sua natura. Ma stavolta mi è parso seriamente preoccupato. Quando lo ha visitato ha voluto che fossi presente anch'io, e Francesco non mi sembrava così malandato. Se non fosse per le guance, che – in mezzo pomeriggio! – gli si sono scavate in maniera eccessiva e innaturale, lo avrei detto solo un po' smagrito.

Francesco non vuole che telefoni al figlio, dice che questi sbalzi di pressione e queste crisi improvvise sono oramai abituali. Io mi siedo accanto a lui, gli leggo il giornale e lo prendo anche un po' in giro:

"Chi l'avrebbe mai detto che mi sarei seduta al tuo capezzale a farti compagnia, eh?".

"Se ci vedessero da fuori," dice lui, "sembreremmo la réclame delle nozze d'oro."

Avrei voluto dire a Francesco della mia decisione di rinunciare a qualunque pretesa sui suoi beni, e di lasciare una parte della tenuta ad Aimone.

Sono sicura che la notizia lo tirerebbe un po' su, ma Scauri – tanto per darmi sui nervi – ha detto che devo evitargli qualunque tipo di emozione, che Francesco ha il cuore malandato e una tempra oramai sfibrata dalla malattia e dai farmaci.

"Ma che sta dicendo, dottore, mi faccia capire bene."

"Guardi, mi dispiace, non va. Gli ho dato un sedativo leggero, perché riposi un po'. Ma chiami il figlio, non si prenda la responsabilità. Mi dia retta. Si aspetti di tutto, anche il peggio. È piuttosto debole."

"Villaforesta non vuole che chiamiamo il figlio."

"Faccia lei. Io gliel'ho detto, lo chiamerei."

Scauri se ne va, ma ritorna stasera intorno alle dieci.

La Santa mi prepara una tazza di tè e va in farmacia, a prendere quel che ha prescritto il dottore.

Francesco si è assopito, e provo un morso di tenerezza a vedere come ieri sera, andando a letto, si è piegato per benino i pantaloni e ha sistemato la giacca sullo schienale della sedia. Quando vivevamo insieme, lasciava cascare tutto dove capitava.

Sul tavolo c'è la sua valigetta di cuoio, che la Santa non ha avuto tempo di disfare. Posso farlo io, e appendergli il vestito nell'armadio, se resta ancora piegato così si sgualcisce troppo.

Sul fondo della valigia ci sono un libro, una rivista di orologi e un portadocumenti di pelle bordeaux. Lo riconosco, l'avevo comprato a Firenze da Pineider, per regalarglielo il primo Natale che passammo insieme.

È carino che l'abbia conservato.

Gli avevo fatto imprimere a fuoco le cifre sulla cinghia, e gli era piaciuto.

Lo apro, così, per curiosità.

Ci sono quattro o cinque fotografie, di Jole e di Aimone. C'è una fotografia mia, presa a Parigi, con una cloche calcata sugli occhi e un cappotto che mi arriva fino alle caviglie.

Prendo la rivista – "Orologi da collezione" – e il libro per posarglieli sul comodino. Villaforesta colleziona orologi fin da quando vivevamo insieme, e già allora setacciava i piccoli gioiellieri di provincia, gli antiquari e le case delle prozie in cerca di esemplari rari, magari preziosi.

Do un'occhiata anche al libro, un manuale inizio secolo, con la rilegatura art nouveau ancora piuttosto ben conservata: *Trucchi e astuzie del Collezionista*, a opera di un certo Algernon Murray.

Il manualetto del signor Murray ha anche altre qualità: una serie di vignette caricaturali che illustrano le disavventure in cui può incorrere il collezionista incauto, nonché un decalogo umoristico dei dieci errori più frequenti commessi dall'aspirante – ma inesperto e forse ottuso – *cacciatore* di rarità.

Non mi sento a disagio mentre sfoglio il libretto, non mi viene in mente che sto facendo un torto a Villaforesta, un peccato di indiscrezione. Anzi, mi sembra di scoprire certi lati del suo carattere che non conoscevo, o che avevo dimenticato, e che trovo interessanti, come il gusto per un certo tipo di lettura, la passione duratura per gli orologi d'epoca.

C'è anche una lettera dimenticata fra le pagine, che mi scivola di mano e casca a terra.

Anch'io adopero spesso come segnalibri biglietti, cartoline, quello che mi capita a tiro e che, di solito, non voglio cestinare – ma nemmeno archiviare e conservare.

Non mi viene nemmeno per un attimo il desiderio di leggerla, quella lettera: ma è caduta sul pavimento e *devo* raccoglierla – un gesto semplice, no? – e raccogliendola non posso fare a meno di notare che, sulla busta, il timbro nero dice, a grossi caratteri: FIRENZE – FERROVIA (un gesto semplice e irrimediabile).

Sulla busta è stampata un'intestazione, ben chiara.

C'è scritto: STUDIO LEGALE VESPUCCI-RICORSI, AVV. PIETRO VESPUCCI-AVV. GIUSEPPE RICORSI.

Quando il cinematografo era ancora un'arte muta sarebbe apparsa una didascalia che recita:

"Uno scherzo del destino? Un caso beffardo?".

La busta è indirizzata a mio marito.

Mi siedo per non cascare in terra.

La stanza gira come un carosello.

9.

ROSSOVERMIGLIO

I.

Gent.mo conte Villaforesta
presso Studio legale Barberis e Quaranta
via Bligny 16
Torino

                          Firenze, 5 aprile 1946
Egregio conte,
ho ricevuto oggi la Sua datata 22 marzo e provvedo a ri-
sponderLe sollecitamente. Come da Suoi suggerimenti, ho ri-
tenuto necessario controllare di persona tutte le informazioni
che ho ricevuto riguardanti l'attuale "ospite" della contessa al-
la Bandita. Come già Lei sa, non si tratta purtroppo di notizie
rassicuranti.
Le informazioni che a Lei sono state fornite in passato dal
sig. Buricchi – a cui rinnovo, tramite la Sua persona, i miei com-
plimenti per l'efficienza e la dovizia di particolari che ha potu-
to così discretamente raccogliere – hanno trovato piena confer-
ma con i riscontri da me effettuati. Non siamo certo davanti
– questo Lei lo sa bene – a un individuo raccomandabile; quan-
to, pare certo, a un personaggio privo di saldi princìpi e incline
a certi raggiri – prevalentemente diretti a scapito di signore –
che hanno sempre come scopo ultimo il danaro. Poiché di da-
naro il nostro galantuomo non ne ha, eppure mostra di gradire

enormemente le prerogative che questo comporta; e non posso biasimarLa se questo pensiero desta a Lei, caro conte, qualche preoccupazione. Ciò nondimeno, devo ribadirLe che non ritengo solo frutto di interesse e avidità la condotta recente di questo sedicente gentiluomo. Devo anzi ammettere che mi è stato più volte riferito – e ho io stesso osservato – quanto la contessa e il suo ospite straniero abbiano dato prova di avere l'uno per l'altra un affetto che è stato giudicato solido e duraturo; egli la circonda di ogni premura e nei begli occhi della contessa si dice vi sia sempre il sorriso. Mi perdoni la sincerità e la familiarità di taluni miei commenti, ma la fiducia che Lei mi accorda oramai da qualche anno mi ha, come spesso accade, preso la mano.

Scarseggiano le notizie sul primo – e, a quanto se ne sa, unico – matrimonio del nostro franco-italo-austriaco (che guazzabuglio).

Quelle che ho ricevuto non sono incoraggianti: dopo aver dilapidato il patrimonio della moglie, l'ha rispedita a Bordeaux insieme a una figlioletta di qualche anno. Non sono riuscito a sapere altro.

Come da Sua richiesta, ho provveduto a fissare un appuntamento con l'ospite di Sua moglie. Convengo con Lei che la ridotta disponibilità economica in cui egli si trova costituisca una condizione a noi favorevole e vantaggiosa.

In tal senso, verificherò e sarò preciso.

In attesa di incontrarLa personalmente, La prego gradire i miei devoti saluti

Suo

Avv. G. Ricorsi

II.

Non lo avverto, l'avvocato.

Certamente lo troverò in casa. Dopo l'imbrunire non esce

mai, al contrario del pipistrello. *Rata vuloira*, si chiamano così i pipistrelli, in dialetto piemontese.

Quando parcheggio davanti al cancello, vedo la luce del televisore che filtra dalle persiane del salotto. È tutto buio, la luna non c'è ancora, se non sto attenta rischio di inciampare.

Mi domando che razza di espressione devo avere.

Non sono affatto depressa. Nemmeno inquieta o furibonda. Non mi sento tradita né ingannata. Non sono neanche delusa. Cerco di analizzare che tipo di sentimento provo. Dalla macchina al portoncino di Ricorsi ci saranno sì e no venti, trenta metri al massimo. Una quarantina di passi. Ho tempo una quarantina di passi per decidere che cosa mi ribolle nell'animo. La cosa buffa è che non lo so. Non riesco a decifrarmi. Sono tesa, questo sì, ma se mi guardo dentro – che sciocca espressione, "guardarsi dentro" – non vedo nulla. Zero assoluto.

Com'è stato semplice. È bastato un quarto d'ora.

Ho suonato il campanello, ho aspettato che aprisse, sono entrata in casa sua e, senza togliermi la giacca, gli ho chiesto:

"Non ha qualcosa da raccontarmi, avvocato?".

Ricorsi ha sgranato gli occhietti scuri, ha cacciato tutt'e due le mani nelle tasche della vestaglia, si è inumidito le labbra e ha detto: "Be'".

Sono stata brava, sono rimasta impassibile. Zitta, zittissima. Con un'intuizione improvvisa ho pensato che, se avessi cominciato a interrogarlo, Ricorsi avrebbe ritrovato la pelle dell'avvocato, avrebbe scovato mille scuse per eludere le domande o dare risposte evasive.

La mia esistenza solitaria mi ha insegnato che il silenzio è ingombrante. Che per alcuni è quasi intollerabile, e Ricorsi è uno di questi. Subito infatti comincia a mostrare certi segni di sofferenza, certi sbuffi, certi schiocchi di lingua.

"Be'," ripete ancora una volta, ma con un'intonazione differente, come di qualcuno che ha già deciso di raccontare, perché ha annaspato abbastanza, mettiamola così – e non sa come trovare il bandolo della matassa.

Continuo a star zitta.

"Be'."

Inizia per la terza volta, e finalmente prende a raccontare.

L'emozione e l'imbarazzo gli giocano un brutto tiro, e invece del solito scilinguagnolo gli esce di bocca un discorso sconnesso, senza capo né coda. Racconta di un convegno di giuristi a Firenze, dove conobbe un famoso avvocato torinese – un principe del foro, dice lui – che gli scrisse tempo dopo mettendolo in contatto con mio marito. Parla di certe preoccupazioni di Villaforesta, del fatto che io fossi arrivata sola alla Bandita, e con quell'aria così spersa, e così fragile, che tutti, proprio tutti, sentivano il desiderio di proteggermi...

"Senta, Ricorsi. Riprendiamo con ordine. Vorrei capire meglio. Che cosa le ha chiesto mio marito? E quando, esattamente? Si ricorda la data?"

Nella mia voce c'è traccia di un'emozione che non riesco a controllare.

"Guardi, non lo so." Ricorsi parla lentamente. "Ho dei ricordi confusi, e poi sono stanco. Mi lasci riposare. Lei ci bistratta tutti. Glielo lasciamo fare perché le vogliamo bene. Non so se suo marito le abbia fatto un torto o un favore, per mano mia. Quanto a me, si trattava di un incarico professionale come un altro."

"Ma perché? Che anni erano? Mi dica com'è andata. La prego."

"Se ci tiene tanto, le farò avere delle carte che dovrei aver conservato nel mio archivio." Questo vecchio pazzo di Ricorsi fa una risatina nervosa che mi nausea. "Non butto via nulla, io, si capisce, sono avvocato."

"Me le dia ora."

"Ma sono le otto di sera!"

"Per piacere. Mi dia quelle carte."

184

Ricorsi fa una smorfia di disapprovazione, e sbuffa.

"Va bene. Come vuole. Si metta seduta, che gliele vado a cercare. Lei è proprio testarda come un mulo, mi perdoni il paragone. Come un mulo."

Ci mette poco. Torna in salotto reggendo sotto il braccio un faldone di tela grigia, annodato con della fettuccia. È tutto scarmigliato, dev'essersi arrampicato sugli ultimi scaffali della libreria, e siccome gli si è allentata la cintura la vestaglia gli pende storta lasciando intravedere un pigiama di flanella celeste.

"Tenga. C'è tutto. Le minute delle mie lettere e gli originali del conte. C'è anche la copia del rapporto di quell'ex carabiniere, non mi ricordo come si chiamasse, ingaggiato da suo marito."

"Buricchi."

"Sì. Proprio così. Buricchi. Gliel'ha detto suo marito? Che memoria."

"Mio marito non mi ha detto nulla."

"Come 'nulla'?"

"Assolutamente niente. Nemmeno una parola."

Ricorsi dice solo: "Oh, mio Dio".

Mi avvio verso la porta. Alle mie spalle sento tutto il raccapriccio di Ricorsi, che pensa di aver tradito chissà quale segreto, di esser venuto meno ai suoi saldi princìpi di deontologia professionale, di aver pugnalato alle spalle anche Villaforesta, oltre me, quarant'anni fa.

Mi grida dietro, quando sono già lontana:

"Ma allora, scusi... come ha fatto a saperlo?".

III.

Dico alla Santa che non ho fame, me ne vado a letto.

"Come 'a letto'?" si preoccupa lei. "E il dottor Scauri, che torna alle dieci? E con il signor conte chi ci sta?"

"Chiami Dino," le rispondo, "ho bisogno di lui."

La Santa va a telefonare, scuotendo la testa. È preoccupata che mi ammali anch'io, che la Bandita si trasformi in un lazzaretto.

Poco dopo sento la voce di Dino. Bussa alla porta della mia camera, per sapere come sto.

Gli dico che sto bene, benissimo, sono solo un po' stanca. Lo sento mentre telefona a Scauri, gli dà notizie di Villaforesta e si siede in salotto per non lasciarmi sola tutta la sera. Caro Dino.

Nel fascicolo di Ricorsi c'è un bel po' di corrispondenza, fra originali e minute. Sprofondata in poltrona, comincio a leggere.

IV.

Torino, 9 marzo 1939

Egregio avvocato,

mi sono permesso, certo del Suo appoggio e della Sua competenza, di fare il Suo nome a un caro e illustre amico, il conte Villaforesta, che mi chiedeva un parere e un concreto aiuto sopra una delicata questione di cui Le scriverà lui stesso.

Poiché, dal nostro rapido ma non dimenticato incontro a Firenze del giugno scorso, Lei mi fece l'impressione di essere non solo un giovane e promettente avvocato, ma anche – mi perdoni la familiarità dei toni, consideri tuttavia che quasi cinque lustri di professione mi hanno insegnato a valutare al primo sguardo i miei interlocutori – un giovanotto di mondo e d'azione, nonché di limpido giudizio, ho indirizzato l'amico Villaforesta presso di Lei.

Il conte Le scriverà a mio nome e, posso anticiparLe fin d'ora, si renderanno utili i Suoi servigi per una causa giusta ma spinosa, da trattare con il massimo riserbo. Ho assicurato a Villaforesta che in Lei, caro Ricorsi, Egli troverà la più assoluta discrezione e ogni altro appoggio di cui possa aver necessità.

Confido che Ella sarà un aiuto prezioso e un consigliere sagace per l'amico Villaforesta.

Sarò in futuro a Sua disposizione qualora ne abbia necessità

Avv. Guido Barberis

Torino, 15 marzo 1939

Egregio avvocato,

l'amico Barberis mi ha cortesemente fatto il Suo nome, e non esito a scriverLe in merito a una delicata questione che mi sta molto a cuore.

Entro subito nel merito: mia moglie e io abbiamo deciso, di comune accordo, di mettere fra i nostri burrascosi temperamenti un bel numero di chilometri, almeno temporaneamente. Pareva a entrambi che il nostro rapporto coniugale, invece di essere improntato a una tenera sollecitudine e a un mutuo rispetto, oscillasse piuttosto in direzione di una continua irritazione reciproca – divenuta vera insofferenza dopo quasi dieci anni di convivenza.

Sono di natura ottimista e ritengo che le difficoltà del mio matrimonio siano state causate dalla giovane età di mia moglie quando la sposai, dalla sua esuberanza di carattere e dall'anacronistica educazione che ella ha ricevuto da un padre affettuoso ma autoritario. Tutto ciò ha fatto di mia moglie una donna che, ancora oggi alle soglie della trentina, è sorprendentemente irragionevole e sprovveduta e persino capricciosa come un puledro di razza: incline ai colpi di testa, a certe testardaggini, ai facili entusiasmi.

Si sarà reso conto, egregio avvocato, che Le parlo con molta franchezza come farei se Lei fosse un amico; e credo di far bene, poiché il Suo nome mi è stato fatto appunto da un caro e saggio amico di vecchia data.

Cosa desidero da Lei è presto detto: mia moglie ha deciso di trasferirsi – mi auguro temporaneamente – in una tenuta che possiede alle porte di Siena, dove io non ho la possibilità – né il desiderio, aggiungo – di recarmi. Le confesso che avrei preferito di gran lunga saperla ancora a Torino... Ma Le risparmio taluni particolari sgradevoli a ripetersi tanto quanto a ricordarli.

Ogni matrimonio ha, mi dicono, i suoi alti e bassi, le sue tortuosità e le sue spiegazioni che lo rendono unico e irripetibile – benché, devo sinceramente confessarLe, io sia di ben altro avviso, e anzi ritenga che tali vicissitudini s'assomiglino assai banalmente le une alle altre – e, fidandomi della *vox populi* che mi conforta sotto le sembianze di amici, parenti e consiglieri, voglio credere che la mia stramba e testarda consorte possa un giorno tornare a occupare il posto che Iddio e il mio affetto le hanno assegnato.

Nell'attesa di giungere, in un futuro che mi auguro prossimo, a una rinnovata convivenza più pacifica e affettuosa di quanto non ci sia accaduto sinora, non desidero che mia moglie commetta sciocchezze, né che cada facile preda di avventurieri di passaggio, o ancora perda se stessa e il suo patrimonio inseguendo chissà quali chimere.

L'avvocato Barberis mi disse che gli pareva di ricordare che, nonostante Lei esercitasse la professione a Firenze, non avesse lasciato la Sua abitazione nei dintorni di Siena, non lontano dalla tenuta della Bandita.

Le chiedo quindi, da questa posizione geografica privilegiata, di osservare mia moglie con discrezione, tenendo su di lei uno sguardo benevolo e accorto, come sarebbe quello d'un fratello maggiore o d'un tutore. Mi figuro che, in una società piccola come quella di Siena, non dovrà esserLe difficile gettare un occhio distratto – solo in apparenza distratto! – sulla Bandita. Sono certo di essermi spiegato con sufficiente chiarezza, e confido nella Sua più assoluta discrezione.

Quando ne avrà la necessità potrà contattarmi presso lo studio dell'avvocato Barberis.

Suo

Francesco Rocca di Villaforesta

Firenze, 28 marzo 1939

Egregio signor conte,
mi sono preso più tempo del solito per rispondere alla Sua cortese lettera del 15 c.m. poiché, Le confesso, mi è stato necessario riflettere.

Nonostante la stima che un umile cultore della professione come il sottoscritto porta a un illustre Collega come l'avvocato Barberis, che mi ha fatto l'onore di suggerirLe il mio nome, ciò nondimeno ho sentito la necessità di interrogarmi su quanto Lei e l'avvocato Barberis desideriate da me. Per natura ed educazione aborro ogni situazione di sorveglianza, delazione o controllo di qualsivoglia natura. Non solo *ad amici*, egregio conte, ma anche agli avvocati, *iuxta petamus*.

Se sono così franco, al limite, Lei dirà, della sfrontatezza, è perché voglio che sappia con chi avrà a che fare in futuro. Ecco che sono già saltato alla conclusione, e Lei avrà oramai capito: accetto. Ma accetto perché, e solo perché, nella Sua lettera ho colto anche quello che Lei non vi ha scritto, e cioè la presenza di un'accoratezza e di una autentica sofferenza umana.

Ho indovinato tra le Sue parole, così ben rivestite con diversi veli di garbato cinismo, un attaccamento e un affetto, se non limpidi almeno tenaci, e ne ho tratto la conclusione, mi auguro non fallace, che le Sue preoccupazioni siano legittime e solidamente fondate.

Mi perdoni tanta asprezza: nessun avvocato, alle prime o alle ultime armi, vuol fare il mestiere del Cerbero o del delatore; e tanto meno del tutore segreto e a distanza di qualcuno che a stento si conosce e che ha passato da un pezzo l'età per esser tenuto a balia: quel che Lei mi chiede, se non leggessi tra le righe, suona più di poliziesco controllo che di affettuosa sollecitudine.

Mi è bastato, peraltro, intravedere la contessa di sfuggita – Lei ha ragione, la società senese è davvero piccola – per indovinare quel temperamento burrascoso di cui Lei parla. Vedo bene i pericoli che Lei paventa – la contessa è dotata di una notevole avvenenza e mostra assai meno degli anni che ha – e diciamo che accetto l'incarico a una sola condizione: che io non debba esercitare un controllo pressante né inviarLe resoconti mensili delle azioni di Sua moglie; questo, mi perdoni, lo troverei degradante per Lei, per Sua moglie e per me stesso. Mi limiterò a tenere, come dice Lei, uno sguardo affettuoso e benevolo sulla contessa, diciamo pure vigile, senza per questo trasformarmi in un dovizioso biografo.

A meno, naturalmente, di eventi improvvisi, o preoccupanti, di cui dovessi venire a conoscenza. In tal caso, sarò un rapido e tempestivo informatore.

Più di così, in piena coscienza, non mi sento di poter fare.

Resto in attesa di un Suo cortese riscontro,

Con ossequio

Avv. Giuseppe Ricorsi

Torino, 15 aprile 1939

Egregio avvocato,

La ringrazio della Sua del 28 marzo scorso e, benché debba confessarLe che mi sarei aspettato una collaborazione più intensa e continuativa, mi dichiaro soddisfatto del nostro accordo.

Naturalmente, sono certo che sarà di uguale soddisfazione per entrambi la regolazione economica del Suo onorario, di cui non abbiamo ancora trattato. Poiché l'affettuosa vigilanza di cui parla è tutto ciò che sono riuscito a ottenere da Lei con la mia eloquenza, non mi resta che accontentarmene. Per avere di più, e di meglio, non saprei davvero a chi rivolgermi: non se ne abbia a male se le dico che speravo di commuoverLa di più con il triste racconto dei casi miei.

Allora, non mi resta che augurarLe buon lavoro – e a questo punto non so se debbo augurarmi di sentirLa presto (ma in questo caso la condotta di mia moglie dovrebbe essere preoccupante) o mai più (ma non mi pare una maniera cortese di terminare una lettera).

Vede? La Sua proposta genera di già delle difficoltà...

Suo

Villaforesta

Firenze, 18 aprile 1939

Gent.mo conte Villaforesta,

mi spiacque doverLe scrivere che non avrei potuto ricoprire l'incarico nella maniera e con le modalità che Ella avrebbe desiderato.

Tuttavia, non avrei potuto assecondare i Suoi desideri mantenendo al contempo una sia pur modesta stima di me stesso e della mia professione.

Ho trovato comunque la maniera di venire a conoscenza di ciò che accade alla Bandita tramite una mia conoscente, Teresa Baratta, cugina in secondo grado di Ado, che, come Lei forse sa già, è il fattore della tenuta di Sua moglie. Teresa di tanto in tanto va a dare una mano, quando c'è qualcosa da rammendare o un paio di calzoni da stringere; ed è curiosa e scaltra: ama le faccende non sue.

Non sarò troppo pressante né insistente con la signorina Baratta, poiché temo le lingue lunghe (antico vizio di questo nostro paese).

La terrò al corrente, non dubiti, non appena lo riterrò opportuno.

La prego di ricordarmi all'avvocato Barberis.

Con distinto ossequio

Avv. Giuseppe Ricorsi

San Biagio, 20 settembre 1939

Egregio conte,

sono passati alcuni mesi dall'ultima mia dell'aprile scorso, mesi peraltro in cui ho potuto constatare come Sua moglie sia una donna di notevole capacità e forza d'animo. Non è il lavoro che la spaventa, né la fatica fisica: qui da noi adesso è stagione di vendemmia e, mi creda, non ci s'improvvisa viticultori. Eppure la contessa non si è scoraggiata davanti a nulla, nemmeno all'arte della vinificazione, di cui essa non sa assolutamente nulla. Con una docilità sorprendente si è interamente affidata, così mi racconta la signorina Baratta di cui già Le parlai, alla competenza e al mestiere di Ado, un galantuomo taciturno e scontroso che Sua moglie ha ammansito in un batter d'occhio.

Quanto ad altri commenti sulla condotta personale della contessa, non posso fargliene poiché non vi è nulla di riprovevole o di significativo.

Sua moglie sembra decisa a trasformare la Bandita in una tenuta efficiente e redditizia, e vi si dedica con appassionata lena. Mi dicono che l'unica altra occupazione della contessa, il suo unico svago, se si eccettua qualche uscita nella buona società senese e fiorentina, sia l'equitazione, attività cui ella dedica ogni momento libero della sua faticosa giornata.

Di più, non ho da dirLe.

Colgo l'occasione di mandarLe i miei più distinti saluti

Avv. Giuseppe Ricorsi

Torino, 30 settembre 1939

Egregio avvocato,

La ringrazio per le rassicuranti notizie riguardanti mia moglie.

Non posso dirLe quanto mi meravigli venire a conoscenza della nuova veste di cui si è ammantata. È pur vero che non si conosce mai qualcuno abbastanza a fondo.

Credevo d'aver perso solo una raffinata compagna ed ecco che mi accorgo adesso di aver subìto due disastri in uno, poiché colei che stimavo solo una bellezza da salotto nascondeva in realtà l'animo di un contabile e la tempra tenace di un contadino! E dire che io, negli ultimi cinque anni, ho perso più danaro dietro alla terra – e a quelle vigne maledette che han preso non so quale malanno d'Oltralpe e sono rinsecchite del tutto – che alle corse o al gioco!

Se non è Nemesi questa...

Grazie di cuore, avvocato

Villaforesta

Firenze, 3 febbraio 1940

Gent.mo conte,
ho ben poco da scriverLe.

La contessa dà prova, ogni settimana che passa, di maggior abnegazione di quanto tutti non s'aspettassero da una forestiera di città.

Ritengo che la tenuta cominci a darle buone soddisfazioni, e se non fosse per la situazione politica europea che ci preoccupa tutti, mi sentirei di dirLe che qui, da noi, gli umori sono ottimi e lo spirito è alto.

Distinti ossequi

Avv. Giuseppe Ricorsi

Firenze, 12 giugno 1940

Egregio conte,
Le scrivo nonostante il turbamento delle ultime notizie.

È spaventoso e terribile il pensiero che siamo un paese in guerra.

Ritengo assai probabile, direi certa, la mia richiamata alle armi.

In queste circostanze mi vedo costretto a interrompere la nostra corrispondenza e la, diciamo così, affettuosa tutela che ho esercitato nell'ultimo anno nei confronti di Sua moglie.

Si sente dire da più parti che questa sarà una guerra breve e di esito certo. Nella speranza – mi auguro non illusoria – che ciò sia vero, ritengo di poter senz'altro riassumermi le responsabilità del mio incarico, non appena torneranno i tempi di pace.

Con rispettosa amicizia

Avv. Giuseppe Ricorsi

San Biagio, 9 maggio 1945

Egregio conte Villaforesta,

non sa quanto mi auguro che questa mia La trovi in buona salute e in felice disposizione d'animo.

Ho avuto Sue notizie dal genero dell'avvocato Barberis, l'avvocato Quaranta, al quale feci le mie condoglianze in occasione della prematura scomparsa del compianto suocero.

Il Quaranta mi disse, in quell'occasione, che Lei non era stato chiamato alle armi e che tuttavia si era prodigato, grazie ai suoi contatti sociali e a munifiche somme di danaro elargite, in favore della causa liberale.

È quello che capita durante le grandi calamità, per ogni conoscente di cui ci s'accorge di doversi vergognare, ce n'è sempre un altro di cui andar giustamente fieri.

A me non è toccata la Sua stessa sorte e sono stato richiamato, seppure per un periodo piuttosto breve, che tuttavia ha lasciato cicatrici profonde, non soltanto metaforiche. Ho una decorazione sull'addome fatta di cinquantadue punti di sutura.

Ho visto ogni tipo di orrore e tragedia.

In questi anni mi sono tenuto il morale alto con il pensiero che, prima o poi, tutto sarebbe tornato come prima, sarei tornato in Tribunale con le mie carte sotto il braccio, prendendo un caffè all'angolo di Borgo Ognissanti.

Peccavo di ingenuità. Nulla tornerà mai come prima, e non mi riferisco tanto alla nostra bella Firenze, piena di buchi neri e di macerie, quanto a quello che abbiamo visto e sofferto.

Lasci che riprenda il tran tran quotidiano, che si riesca a trovare un nuovo appartamento dove riaprire il nostro studio legale – l'immobile di via Cherubini è seriamente danneggiato – e finiremo con il ricominciare la vita di sempre. Così va il mondo, si squarcia il velo e se ne tesse un altro.

La Sua consorte, a quanto so, non si è mai allontanata dalla Bandita, nemmeno nelle ore peggiori dei bombardamenti o dei rastrellamenti. Mi dicono che ha dato albergo ai bambini di una scuola elementare e che non ha lesinato aiuto morale, economico e pratico a quanti gliene hanno chiesto.

Non appena avrò trovato una sistemazione adeguata per riaprire lo studio legale, gliene darò pronta notizia.

Nel frattempo La prego di scusare l'eccessiva familiarità di tono con cui mi sono permesso di scriverLe, e che posso giustificare soltanto con l'ebbrezza che provo nel sapere che siamo finalmente un paese libero. La nostra corrispondenza, sia pure dettata da ragioni professionali, mi rammenta di un tempo – era la primavera di cinque anni fa – che oggi sembra appartenere alla più lontana preistoria.

Con i miei più cordiali saluti

Avv. G. Ricorsi

Torino, 22 maggio 1945

Caro avvocato!

Finalmente Sue notizie! Mi sono tornate indietro ben tre lettere, con la dicitura "Destinatario sconosciuto", e già temevo il peggio! Che sollievo sapere che la guerra l'ha soltanto moralmente bistrattata un po', sutura a parte.

Non si giustifichi dei Suoi toni familiari: nei miei sfoghi epistolari precedenti la guerra, L'ho messa tanto a parte delle mie stizze e debolezze che ne ha ben donde.

Venendo al dunque, questa volta Le scrivo per dispensarLa formalmente da un ulteriore servizio di tutela, diciamo così, della contessa. Come Lei mi ha giustamente scritto, sono oramai passati cinque anni, che hanno cambiato ogni prospettiva, oltre che, naturalmente, il volto dell'Europa e del mondo intero, e di noi stessi; è accaduto di tutto, si è ribaltato tutto.

Potrà non crederci, ma sappia che in tutto questo tempo – anni lunghi di guerra e patimenti – non vi è stata una sola volta in cui mia moglie abbia sentito, non dirò il desiderio, ma almeno la necessità, di ricorrere a colui che un giorno – quello sì appartenuto alla preistoria! – fu suo marito. Non ci fu un cenno, una lettera, nulla. Ci incontrammo al funerale di suo padre, e lì un formale e breve abbraccio sancì la definitiva freddezza che avevano assunto i nostri rapporti. Che vuole, avvocato, a lungo andare gli umori e i sentimenti cambiano e si modificano, dapprima impercettibilmente, poi in maniera via via più evidente, finché non si scopre di essere mutati irrimediabilmente. A me non è accaduto altro che questo. La sciolgo, pertanto, da ogni obbligo nei nostri confronti.

Frequenti mia moglie, se Le capita, e ne apprezzi l'indole e lo spirito senza altri secondi fini, la giudichi per quello che è, una donna in fuga da un'epoca e da un mondo perché non ha avuto il coraggio di seguirne le regole, né di mutarle.

Dalle Sue lettere passate mi parve di intuire che la considerava una donna di indubbio coraggio. Non mi fraintenda – in me non parla il marito abbandonato e iracondo, non più almeno! – se Le dico che tutto ciò che la mia diletta ha fatto, in vita sua, l'ha fatto non per coraggio ma per una forma di viltà.

Non c'è ragione che tra di noi continui questa corrispondenza, cui peraltro rinuncerò malvolentieri per la piacevolezza dei suoi toni se non dei suoi argomenti.

Le auguro di tornare presto a condurre la Sua vita di sempre, come lo auguro a me stesso, alla mia città, all'Europa intera.

Suo

Villaforesta

Firenze, 30 luglio 1945

Egregio conte Villaforesta,

mi permetto di scriverLe, contravvenendo al Suo desiderio, perché qui si è prodotto un fatto nuovo, un evento che, come s'immaginerà, fa parlare non soltanto le nostre beghine, ma mezza città. Ritengo dunque che Ella debba esserne messo a conoscenza.

Accade che, da circa due settimane, la contessa frequenti un gentiluomo straniero (non sono ancora riuscito a individuarne l'esatta nazionalità: il cognome dev'essere austriaco o tedesco poiché suona pressappoco Treunnersperg, ma la parlata, a quanto mi dice la mia solerte signorina Baratta, è senz'altro italiana con qualche sgrammaticatura da forestiero) e di più, per il momento, non so.

Resto in attesa di Sue istruzioni.

Le rinnovo i miei ossequi

Avv. G. Ricorsi

Torino, 15 agosto 1945

Caro Ricorsi,

ha fatto bene ad avvertirmi. Quanto a mia moglie, cosa vuole che Le dica: le nostre ferite si rimarginano, perfino le più profonde.

Il nome Treunnersperg non mi dice nulla: chiederò in giro, e vedrà che otterrò tutte le informazioni necessarie.

Si faccia sentire, se ha delle novità

Villaforesta

Torino, 30 agosto 1945

Avvocato Ricorsi,

anche considerando che l'amico di mia moglie ha un cognome dal suono tedesco – popolarità in calo! –, le notizie lacunose e frammentarie che ho raccolto non sono confortanti.

197

Si dice che Treunnersperg – che per inciso tutti chiamano con l'orrendo soprannome di Trott – abbia frequentato il bel mondo di Londra e Parigi prima della guerra, e che abbia lasciato una notevole quantità di danaro al tavolo verde – ma poiché il gioco è una debolezza che ci accomuna, questa almeno è una notizia di cui non mi darò eccessivo cruccio. Qui a Torino non sono riuscito a sapere molto di più. Trovo difficile fare inchieste mondane sull'amante di mia moglie.

Ricorrerò all'aiuto di un certo Buricchi o Burichi, un ex poliziotto che si guadagna da vivere rimestando nel torbido – grazie a mariti come il sottoscritto.

La terrò informato. Buricchi mi ha avvertito che se questo Treunnersperg non s'è mosso dall'Italia, nel giro di un mesetto saprà darmi un rapporto esauriente, ma se il Nostro Uomo ha vissuto all'estero, con l'Europa sottosopra com'è possono volerci anche tre o quattro mesi per ottenere uno straccio di informazione.

Chissà.

A presto

Villaforesta

Torino, 10 gennaio 1946

Egregio avvocato,

Le allego in copia la relazione del Buricchi. La legga, e vedrà che non c'è da stare allegri, questo Treunnersperg è un casanova da strapazzo. E non ha danaro, né mezzi propri, né prospettiva alcuna di guadagni – si legge nello scritto di Buricchi che dopo la guerra questo tale è diventato un esperto d'arte: Le pare forse una professione che s'impara in nove mesi?

Giudichi Lei. Ho pregato Buricchi di mettersi in contatto con Lei, procurandoLe il nome di qualcuno che, anche a Firenze, possa raccogliere informazioni recenti e dettagliate su Treunnersperg. Prima di saper cosa fare, è necessario sapere chi abbiamo davanti.

Quanto a me, ho perso la speranza che mia moglie si ravveda, dal momento che si è presa in casa quel signore. Tuttavia, poiché mi sta a cuore la sua persona – e il mio nome che costei porta ancora –, mi sento in dovere di vegliare, a distanza, su di lei. Se questo Treunnersperg è un lestofante innocuo, lasciamoglielo lì; ma, Dio non voglia si tratti di un avventuriero senza scrupoli, che fuggirà nottetempo col suo cuore e i suoi gioielli, in questo caso mi sentirei in dovere d'intervenire.

Cosa vuole, lo spirito cavalleresco a volte è una maledetta seccatura.

Non perda di vista la Bandita, La prego

Villaforesta

Torino, 5 marzo 1946

Caro Ricorsi,

mi vedo costretto ad affrontare le scomodità di un viaggio fino a Firenze per incontrare un certo Ottavio Brioni, che dovrebbe, a sentir Buricchi, farmi un quadro chiaro ed esauriente della personalità di questo impiastro italo-austriaco che ci troviamo fra i piedi.

Nel frattempo, sto meditando che, se dovessimo giungere a desiderare che Treunnersperg si tolga di mezzo definitivamente, è probabile che si potrebbe... diciamo, acquistare questo trasferimento. Non pare anche a Lei, dato il personaggio?

Non mi spiacerebbe incontrarLa finalmente di persona, caro Ricorsi. Scenderò all'Hôtel des Anglais, dal 10 al 15 di aprile.

Mi faccia sapere.

Villaforesta

Firenze, 20 marzo 1946

Gentile conte,
ritengo che la strada di un accordo economico con Treunnersperg vada percorsa.

Le informazioni che continuano ad arrivarmi, tramite Buricchi e il suo galoppino di Firenze, sono sempre dello stesso tono, molto poco rassicuranti. Addirittura, Buricchi ritiene che potrebbe trattarsi di una ex spia tedesca, passata, visti i tempi, agli americani. Certo, l'ipotesi è inquietante, ma spiegherebbe l'improvvisa apparizione di Treunnersperg a Siena e il lungo soggiorno alla Bandita con la necessità di una buona copertura in un ambiente del tutto insospettabile.

Tuttavia, ci tengo a dirLe che la contessa pare così allegra e serena e totalmente ignara, che vien fatto di dubitare se non si stia, Lei e io, prendendo un grosso, grossissimo granchio.

Auguriamoci che così non sia, per carità d'Iddio.

Ossequiosamente

Avv. Giuseppe Ricorsi

Torino, 2 aprile 1946

Caro Ricorsi,
non caschi anche Lei nella trappola! Mia moglie s'è scelta da troppi anni una solitudine che non le somiglia – non dimentichiamocelo! – e quando arriva un gentiluomo che le fa un compito baciamano e sa scegliere un vino – e aggiungo che di sicuro balla il valzer! –, il gioco è fatto: tutti stregati.

Lasciamo parlare i fatti: il giovanotto è, nella migliore delle ipotesi, un filibustiere che s'è infilato nel letto di mia moglie perché è bella, perché è ricca, perché è sola. Oppure – Dio non voglia! –, Lei mi dice, addirittura una spia!

Si tranquillizzi, avvocato: è da un pezzo che il mondo gira così, e non accenna a cambiare. Ho preso la mia decisione (badi: toccherà a Lei occuparsene, e *di persona*).

Mi prepari un abbozzo di accordo economico che non mi strangoli.

Aspetto Sue notizie

Villaforesta

Firenze, 30 aprile 1946

Caro conte,
mi sto dedicando con pervicacia a entrare in intimità con Treunnersperg, con lo scopo finale di fargli balenare – quando se ne presenterà l'occasione opportuna, senza più il pericolo che T. mi atterri con un pugno ben assestato – la prospettiva di un roseo avvenire economico grazie alla Sua generosa offerta.

Frattanto Le sarò grato se vorrà compiacersi ritornarmi, colle Sue osservazioni, la minuta dell'accordo che Le inviai prima della Sua partenza per Firenze, e di cui non ho copia.

Poiché non sappiamo con chi abbiamo a che fare, i versamenti e il cambiamento d'intestazione delle azioni dovrà essere frazionato in un certo numero di mesi.

Occorrerà inoltre, da parte Sua, una valutazione il più possibile precisa della cifra totale che Lei è disposto a versare a conclusione della suddetta transazione. Le ricordo che occorrerà prevedere una richiesta certamente piuttosto onerosa.

Confido che, in un paio di mesi al più tardi, questa spinosa faccenda sarà definitivamente archiviata.

Distinti saluti

Avv. Giuseppe Ricorsi

Firenze, 1 giugno 1946

Egregio conte,
missione compiuta! T. accetta. Dopodomani viene in studio da me. Ho stilato un accordo, una scrittura privata che stabilisce un preciso calendario dei versamenti da effettuare.

201

T. dice che stiamo spezzando due cuori, di dargli almeno il tempo di organizzare la partenza (credo intenda: far sapere ai creditori che sta arrivando un bel po' di danaro).

Gli ho ricordato che può tirarsi indietro in ogni momento, se lo desidera, ma che, se accetta di stare ai patti, la condizione imprescindibile dell'accordo è la più assoluta riservatezza; credo di poterLe assicurare, conte, che siamo in dirittura d'arrivo.

La terrò prontamente informato.

Distinti saluti

Avv. Giuseppe Ricorsi

V.

Mi dispiace di aver saputo tutto, alla fine. Mi sono cullata per anni nel pensiero che non esistesse una ragione crudele per la partenza di Trott. Mi figuravo che, alla fine, avesse prevalso in lui un bisogno di star solo, di vagabondare, che un irresistibile nomadismo avesse avuto la meglio sul suo affetto per me.

I veri nomadi, lo so, hanno uno sguardo fermo, e sereno, quando osservano il mutare dei paesaggi e delle consuetudini; uno sguardo che guarda fisso, avanti; è la prossima tappa ciò che conta, non quello che ci si lascia dietro; non li turba il cambiamento, né quella forma più sottile e incurabile di mutazione che è la sparizione; non tremano, quando il tempio greco si sbriciola in frammenti perché ne hanno fatto una santabarbara, quando accanto alla torre duecentesca spunta una palazzina con le scale di marmetto lucidate a piombo, e mai più, mai più quello scorcio, quel panorama sarà lo stesso.

Non tremano quando accade l'irreparabile; né mai li turba lasciarsi un mondo intero dietro alle spalle.

Questa è l'indole di Trott, mi dicevo.

Io invece ho scelto la sosta, e Trott lo sapeva. Non ha nemmeno tentato di persuadermi, anzi. Mi ha aiutata a mettere radici qui, perché, diceva, "questo è il tuo posto". Intuiva che non si può cambiare la natura delle cose o delle persone. Ha cercato di vivere con me, ha resistito finché ha potuto, finché la sua natura errante non ha reclamato i propri diritti, facendolo infine optare per una nuova partenza. L'ha sempre saputo che un giorno o l'altro sarebbe partito, l'irrequietezza è una bestia difficile da domare. E forse, chissà, insegnarmi a fare il vino è stato il suo regalo. Esistono individui per i quali dopo un sentiero ne viene un altro, e poi ancora un altro, e poi c'è una strada, e poi un'altra strada ancora, e la sosta è solo un modo di riprender fiato, raccogliere le forze prima di ripartire, un passo dopo l'altro, facendo finta che esista da qualche parte una meta, una meta qualsiasi.

Occorreva rassegnarsi all'idea che la natura di Trott fosse tanto diversa dalla mia.

E, del resto, Trott non aveva forse uno sguardo sempre perduto altrove, un'indole silenziosa – si sarebbe potuta scambiarla senza difficoltà per indifferenza –, un'indefinitezza di progetto che mi stupefacevano e che mi avevano impedito, in quel giugno lontano, di raccontargli che cosa c'era di fragile e nuovo tra noi?

Ho letto tutte queste lettere che parlano di me, s'interessano di me, e invece di avere, finalmente, la sensazione di aver trovato la tessera che mancava al mosaico, mi sembra d'aver sporcato qualcosa, di essermi impiastricciata le mani con un non so che di viscido e di orrendo che avrei dovuto lasciar riposare lì dov'è stato tutti questi anni. Ripenso a Trott, a quando mi stringeva con forza e mi guardava dritto negli occhi sibilando "tu non capisci, tu non capisci".

Cosa cercava di dirmi? Cos'è che non capivo?

Che mi lasciava perché aveva bisogno più di danaro che d'amore?

VI.

Dopo tutte queste parole, il silenzio della mia casa.

Dopo tutti questi ricordi, il presente.

Fuori dalla finestra il cortile è oramai buio, ma s'intravedono le ombre e gli indefiniti contorni della rimessa, del cancello, dei quattro cipressi frangivento che proteggono il muro di cinta. Dev'essere finalmente sorta la luna. La luce delle stelle, al principio dell'inverno, è fioca e fredda, così oscurata dalla foschia.

È di simili oscillazioni, di continui e ripetuti passaggi da *questo* cortile in ombra alla luce – di una mattina di giugno che s'annuncia torrida, oppure della nursery dove Enrico e io restiamo confinati da bambini –, che è fatta la mia vita.

Qualche meccanismo cerebrale dev'essersi incantato in un movimento oscillatorio, avanti e indietro, fra l'oscurità di un'umida sera di novembre e una giornata di giugno in cui il frinire delle cicale si mescola alla voce concitata dell'annunciatrice radiofonica, che elenca numeri e dati, proclamando la fine di un'epoca e l'inizio di un'altra. L'Italia è una Repubblica, e anche se tutti noi ci chiediamo che cosa cambierà – mia madre pronostica in falsetto "le sparizioni e i mutamenti non si conteranno" –, non smettiamo di far programmi per la giornata, a che ora faremo colazione, e se andremo a fare una passeggiata a cavallo lunga un'ora o lunga due. Sì, può darsi che il nostro paese cambi, ma intanto questa giornata di giugno sarà uguale a tante altre, sarà come ieri, come domani, come dopodomani.

Trott mi si avvicina, mi accarezza i capelli con un gesto che a me pare pieno di tenerezza.

Mi ricordo di dettagli così trascurabili, il pollo che ha cucinato Novella, stufato nel vino bianco con la salvia e il rosmarino. Mi ricordo che decidiamo di andare a fare una passeggiata dopo colazione, è una giornata così bella, così limpida, e torniamo a sellare i cavalli nel pomeriggio, quando fa meno caldo. Trott all'ultimo non viene e dice che preferisce restare alla Bandita.

Ricordo la sensazione di scendere da cavallo, una volta rientrati a casa, stirare le gambe stanche e indolenzite, mentre domando a Mario se sa dov'è Trott: mi sembra di averlo trascurato tutto il giorno, per dedicarmi esclusivamente ai miei amici e ai miei doveri di padrona di casa. È da domenica sera – quattro giorni, oramai –, che mi occupo solo di star dietro a Novella per decidere che cosa si mangia, di aiutare Mario con i cavalli – i miei e quelli che abbiamo preso a nolo per gli ospiti –, che mi sforzo di organizzare passeggiate a piedi e a cavallo, gite a Siena e quant'altro.

Ricordo Mario che indossa pantaloni di tela scura e una giacca di panno, d'estate e d'inverno, come una divisa, e scuote la testa, no, non sa dov'è Trott.

I miei amici sciamano in casa per togliersi gli stivali, cambiarsi d'abito, magari riposare, e intanto Nina e Iris ridono, scherzano e bisbigliano. Salgo al piano di sopra per andare a cambiarmi: la mia camera da letto è torrida – il sole di giugno è già estivo –, chissà, evidentemente stamattina mi sono dimenticata di chiudere le persiane. Strano, mi sembrava di averle chiuse, come del resto mi pareva d'aver chiuso le ante dell'armadio, i cassetti del comò, perché io non sono una donna disordinata. Attraverso la stanza – una piastrella dopo l'altra, una grigia una nera una bianca – per chiudere l'armadio. Ricordo la luce che arriva fin qui dalla finestra, carica del pulviscolo dell'estate, che cala di sbieco e illumina ogni ripiano, ogni cassetto, ogni gruccia di legno dell'armadio che adopera Trott.

È vuoto, completamente vuoto, sono rimasti solo i sacchettini di lavanda contro le tarme.

Ricordo Nina che mi trova – un'ora dopo? due? – ancora seduta sul letto, a guardare l'armadio svuotato come ho sempre guardato ipnotizzata i volteggi dei fiocchi di neve, che turbinavano alla luce dei lampioni, una cascata di fiocchi, diversi uno dall'altro, da cui non riuscivo a staccare gli occhi.

Nina capisce al volo – sapeva già tutto anche lei? – e cerca di consolarmi, mi rassicura con certe sciocchezze cui non credo nemmeno un minuto ("tornerà – affari urgenti, dopo tutto è finita la monarchia, sono cose grosse, lo conosci da così poco, magari è andato a Roma a festeggiare o a rendersi conto di persona, dovremmo farlo anche noi, la Storia ci è passata vicino, duecentocinquanta chilometri più a sud, non si può starne lontani, oppure s'è impastoiato con qualcosa di poco chiaro, ed è dovuto partire, è successo a tanta gente, neanche il tempo di lasciarti un biglietto – questo vuol dire che pensa di tornare –, non ti preoccupare, ti scriverà, si farà vivo, lo raggiungerai non-si-sa-dove, vieni con me a Roma domattina, è un momento d'importanza assoluta, storica, è la fine di un mondo e l'inizio di un altro, non restare qui da sola, scendi giù che ti preparo un drink, non diciamo nulla a nessuno, ci penso io, vedrai, tutto ritornerà come prima..."): quanto parla, Nina. Chiudo gli occhi. "Stai zitta, Nina, ascoltami. Se n'è andato e io sono sola. Sola, capisci? E sono incinta, Nina. Dimmi cosa devo fare. Tu sei una donna di mondo. Sei coraggiosa. Non hai mai avuto paura di niente. Io sono diversa da te. Ho avuto paura di tutto. Sono scappata qui per fuggire da Torino, da Villaforesta, e non tornerò mai indietro. So solo questo."

Sono stata una pazza a credere di meritarmi una vita diversa da quella che mi era stata assegnata. Ci sono privilegi che non perdonano, che comportano doveri ai quali è inimmaginabile pensare di potersi sottrarre. Anche a me era stato assegnato un percorso obbligato da seguire, ma io ho voluto scartare. Con quale risultato? Restare a masticare da sola l'amarezza dell'abbandono, sotto lo sguardo carico di compassione di Nina che non credo di poter sopportare un istante di più.

Giurami che non dirai a nessuno d'avermi trovato qui, in

*questo stato. Giurami che nessuno saprà mai che se n'è andato
così. Giurami che dimenticherai questa giornata. Giura. E aiutami, Nina, ti prego.*

Aiutami, Nina. Con un sospiro si siede accanto a me. Mi
prende la mano. "Sciocca che sei, tutto si sistema. Vedrai. Non
dire niente a nessuno. Basta che tu stia attenta, e non se ne
accorgerà nemmeno quel grullo di Ricorsi. Fai nascere il bambino e fallo crescere a Mario e a Novella. Come se fosse loro... hanno già una bambina, cosa vuoi che gli cambi? Dovrai
impegnarti a mantenerlo, ma lo faresti comunque... Fidati, è
una cosa che si fa... Ti cerco io la levatrice adatta, una che non
faccia tante storie e scriva sul certificato di nascita il nome che
vogliamo noi... ti ricordi di Alibrandi, quel medico che ti por-
tai qui una notte? Ci facciamo aiutare da lui... Tu hai aiutato
noi, dopo tutto... Non sarai la prima, né l'ultima. E poi quaggiù chi vuoi che ti veda? Chi vuoi che lo sappia? Mario e Novella sono brave persone e ti vogliono bene. E se tu non avessi tenuto nascosto Mario nella cisterna tanti mesi, chissà cosa gli sarebbe successo... Sei stata generosa, ora lasciati aiutare. Adesso ascoltami e fai esattamente quello che ti dico..."

Ora so che il mio primo gesto di vigliaccheria fu quello di
non dire a mio padre che non avrei scelto come marito nessuno dei cinque nomi che lui aveva scritto sul foglietto celeste; a
quello ne sono seguiti ancora, uno dopo l'altro, impercettibili
agli occhi estranei ma determinanti per me. Chi mi guardava
vedeva una donna bella e altera, con certe durezze e una buona dose di testardo coraggio. E invece non c'era nulla, se non
uno smisurato orgoglio e la paura del mondo e delle chiacchiere della gente. Ho dato via mio figlio. Ho vissuto tutta la
vita accanto a lui, l'ho visto crescere e imparare a camminare,
a correre, ad andare in bicicletta. Gli ho insegnato a montare
a cavallo, a gestire questa tenuta che un giorno sarà sua, ma
non sono stata sua madre. Non ne ho avuto il coraggio.

Subito dopo la partenza di Trott fu difficile. Dormivo male, non mangiavo, e provavo un odio sordo verso il bambino che avevo in grembo. Quando nacque decisi che avrei dimenticato tutto, ogni cosa, dal principio, prosciugando la memoria come si svuota il secchio dell'acqua sporca.

Ricordo di aver stabilito che di tutto quel dolore non sarebbe trapelato mai nulla, alcun rammarico, alcuna delusione. Non avrei permesso al mio furore di biasimare Trott, né me stessa, non avrei permesso alla rabbia e al dispiacere di aggrovigliarsi insieme in una mistura che mi avrebbe avvelenato le giornate. No. Avrei semplicemente aspettato che l'ondata passasse, immergendomi sotto il pelo dell'acqua, come si fa al mare con le onde grosse. No, la partenza di Trott non m'avrebbe trasformata in una donnetta lagnosa da nulla, sedotta, carezzata e poi, semplicemente, abbandonata, incinta.

Prima o poi, la mia vita avrebbe ripreso il ritmo tranquillo che aveva avuto un tempo. Mandare avanti una tenuta di trecento ettari è un lavoro faticoso, per chi non lo sa fare, per chi non ci è nato, e io non c'ero nata. Anzi. Nessuno di noi c'era nato: mio padre l'aveva vinta al gioco e mio fratello non sapeva che farsene, finché non se n'era disfatto morendo e lasciandola a me.

Ho tanto lavoro da fare. Non mi impigrisco, Mario mi aspetta ogni mattina giù nella corte, c'è un intero filare di viti che sta seccando, il primo in cima dal lato del bosco, che si fa, si spianta o si lascia così fin dopo l'estate? Abbiamo fatto venire un enologo francese, un tal De Gasquet, che ci ha suggerito di mescolare le uve in proporzione diversa. Tra qualche anno avremo un gran vino, dice, un vino pieno e di corpo, da far invecchiare in botti di rovere, e io ho già il nome, gli dico, Rossovermiglio, com'è il colore della luna certe sere d'estate, quando sbuca dalla collina, troppo grande dietro a quei boschi e si direbbe uno sbaglio.

Quando non c'è che silenzio, quando nessuno ha bisogno di me, rubo mezzo pomeriggio, sello un cavallo e me ne vado dal lato di sotto, verso Poggio dei Genovesi, oppure su verso Monteti, per guardare fin giù, là dove si vede tutta intera la Bandita, la vigna nuova arrampicata sulla collina e gli ettari a bosco, l'oliveto e le curve lunghe dello sterrato che porta a casa. A volte piango, ma non so dire se siano lacrime di rabbia o di tristezza, di disgusto verso me stessa o di rimpianto. A volte smonto da cavallo e mi siedo su un sasso, e resto lì a guardare questa terra sempre uguale nel tempo, con questi colori e questi odori, lenta e silenziosa come l'ho conosciuta.

Tutto ha funzionato finché non ho cominciato a ricordare. Mi pareva di non far nulla di male a ripercorrere certi piccoli episodi che credevo dimenticati da tanto tempo, e che invece, appena sollecitati con un movimento perfino più lieve di una carezza, sono tornati indietro freschi, come fossero appena accaduti.

So che ai vecchi succede spesso di aver poca o nessuna memoria per il passato recente, mentre quello più remoto e lontano nel tempo ritorna con impensabile esattezza. Il movimento oscillatorio della memoria è diventato sempre più ampio, finché non sono più stata capace di arginare un fiume di parole che facevano ressa per uscire, per spiegarsi ciascuna all'aria, al sole, come tanti pezzetti di carta – brandelli di lettere che non sono mai arrivate, o più probabilmente non sono mai state scritte –, parole che s'allargano come le ali degli uccelli di passo quando arriva l'ora di tornare.

VII.

Quando un cavallo si azzoppa, bisogna abbatterlo.

È doloroso, ma non c'è alternativa: non si guarisce dai postumi di certi incidenti. Mi ci hanno allevato, con questo principio. È ora di metterlo in uso.

Vado da Villaforesta. Vado a chiedere spiegazioni a un vecchio che langue in un letto, mezzo tramortito dalla febbre e dai calmanti, a un uomo che credeva di proteggermi e invece mi ha derubato di tutto. Ma la scoperta che Villaforesta abbia pagato Trott perché se ne andasse è nulla in confronto al pensiero che Trott quel danaro lo ha preso.

Mi sento salire ai polsi, al cuore, alla gola, una rabbia sorda e gelida, come di ghiaccio.

Dino è seduto su una sedia scomoda, la testa penzoloni sul braccio, si è addormentato. Sono le dieci passate. Lo sfioro, appena una carezza alla spalla, e lui subito si drizza, con gli occhi ancora assonnati. Mi vede lì e vorrebbe dirmi di non preoccuparmi, di andarmene a dormire, che c'è lui. Dino pensa ancora che la mia visita a Villaforesta sia dettata dalla cortesia, se non dall'affetto. Ma gli basta uno sguardo per non dire più nulla, e alzarsi con uno scatto, per lasciarmi sola con mio marito.

Devo avere uno sguardo, un'espressione, che non ammette repliche, né discussioni.

Villaforesta forse non è del tutto addormentato, sembra piuttosto oscillare fra uno stato di veglia semicosciente e un sonno leggerissimo. Ha un respiro regolare e tranquillo.

Mi chino su di lui per chiedergli "perché?". Perché hai allontanato Trott da me? Perché ti sei intromesso nella mia vita, perché non mi hai lasciata andare per la mia strada, perché mi hai calpestata con il tuo amore e il tuo risentimento, perché hai venduto Peak, il *mio* cavallo, perché non hai mai detto *a me* le parole che hai scritto ad altri, perché sei venuto fino a qui, adesso, dopo tutto questo tempo, perché farmi sapere che eri tu l'artefice di tutto e che nulla era come me l'ero immaginato, che ognuno di voi, tu, Trott, perfino Ricorsi, mi avevate ingannata, presa in giro e che io mi ero sbagliata – ingenua e sciocca – sul conto di ciascuno? Perché, Francesco?, dimmi perché. Mi chino per fargli queste e chissà quante altre domande, e invece resto muta, incapace di dire una parola. Nulla. Dalla mia bocca non esce niente, s'è fatta di gesso a guardare quest'uomo dai tratti ancora duri, con la testa affondata nel cuscino, che è venuto fino a qui, da un luogo così lontano nel tempo se non nella geografia, per compiere il gesto più intimo e commovente che gli è rimasto, farmi scorgere, finalmente, la sua fragilità. Ha fatto in modo di rivedermi, ma dovrei dire piuttosto: ha fatto in modo che *io rivedessi lui*, perché capissi infine di quale natura era fatto il legame che ci univa. Perché io mi renda conto che la pena che provo non può essere priva di rimorso, di imbarazzo e di collera.

Non credo che Villaforesta morirà stanotte, o domattina, forse neanche tra una settimana o tra un mese; ma intanto è qui, in casa mia, accanto a me: qui dove io non lo avevo voluto.

E allora non dico nulla, e mi accorgo di non avere rimproveri da muovere, né recriminazioni da fare. Resto a guardarlo mentre dorme e sussulta come un bambino che ha gli incubi, finché riesco a controllare la mia stanchezza. Quando esco dalla stanza dico a Dino, che mi viene incontro con un sorriso, che vado a dormire e che domani mandi a casa le donnine, noi sbaracchiamo i tavoli, mettiamo via le tovaglie, riportiamo in banca l'argenteria e rimettiamo le housse in salotto. Ho cambiato idea, la festa non si fa più.

"Come sarebbe, la festa non si fa più?" mi domanda sbigottito.

"Sarebbe che non si fa più, Dino."

"Ma... i preparativi... è un mese che ci lavora... i musicisti e..."

"Dino."

"Sì."

"Dino, senti."

Gli tiro il bavero della giacca perché si chini verso di me, e gli do un bacio leggero sulla guancia. Ho tre parole sulle labbra che vorrei pronunciare da tanto tempo, e che gli dico in un bisbiglio:

"Sono tua madre".

Lui sorride, come farebbe con un bambino impertinente. "È tardi, signora contessa. Abbiamo avuto una giornata lunga. Le parentele lasciamole a domani. Vada a dormire, che qui resto io."

Sono tua madre, sto per ripetergli, ma le labbra cominciano a tremarmi. Adesso voglio riprendermi quelle tre parole cadute di tasca come spiccioli.

"Buonanotte, Dino."

"Buonanotte anche a lei."

Mentre chiudo la porta della mia camera da letto, sento un rumore di pneumatici che stridono sulla ghiaia davanti a casa. Dev'essere il dottor Scauri, che viene a visitare Villaforesta.

Spengo la luce. È buio, fuori.

Mi basterebbe fare pochi passi per allungare la mano e toccare la fronte che scotta dell'uomo che mi ha amata più di chiunque altro.

Se l'avessi immaginato, mi chiedo, mi sarei comportata in maniera diversa? Ho creduto di essere una donna lucida e intelligente, capace di giudicare correttamente chi avevo attorno.

Avrei potuto saperlo molto tempo fa. Avrei potuto scoprirlo nel 1928, a Torino, e poi a Parigi qualche giorno più tardi, se l'ansia e la paura in cui mi aveva gettata quel matrimonio scelto da mio padre non mi avessero resa sorda e cieca. Poi ci fu Trott e non vidi più altro.

Les broches mêmes qui étaient au feu toutes pleines de perdrix et de faisans s'endormirent, et le feu aussi.

Tout cela se fit en un moment: les fées n'étaient pas longues à leur besogne.

Sì, le fate a volte sono assai svelte nelle loro faccende, e gli incantesimi si realizzano in una manciata di secondi; ma per scioglierli, poi, capita che non bastino cent'anni.

L'ultimo suono che sento è il grido di un uccello notturno di cui mi accorgo di avere, finalmente, dimenticato il nome.

Ringraziamenti

Grazie ad Alberto Rollo, che mi ha seguito passo passo con paziente garbo e molta competenza. E a Giovanna Salvia: ha creduto in *Rossovermiglio*, che ha letto e riletto con occhio critico e attento ma anche con entusiasmo, ed è diventata in poco tempo un'amica preziosa.

Vorrei poi ringraziare di cuore Franca D'Agostini, che mi ha dedicato molti pomeriggi aiutandomi a sgrossare l'informe materia della prima stesura e mi ha permesso di godere delle sue non comuni qualità di intelligenza e sensibilità.

Last but not least, la mia grande e straordinaria famiglia: solidale, partecipe, critica, generosa, sempre presente.

INDICE

Stampa Grafica Sipiel
Milano, settembre 2008